Weの市民革命

佐久間裕美子

"WE" REVOLUTION

YUMIKO SAKUMA

朝日出版社

Weの市民革命

佐久間裕美子

“WE” REVOLUTION　YUMIKO SAKUMA

Weの市民革命一目次

はじめに

革命が中継されている。

ギル・スコット・ヘロンの名曲「革命はテレビ中継されない」にかけて、「どうやら革命は中継されるらしい」と書いたのは、ニューヨーク・タイムズ紙の黒人ジャーナリスト、チャールズ・ブロウだった。いまアメリカで起きているのは、おそらく後世、歴史の教科書に記載されるだろうレベルの革命だ。

2014年、金融危機以降にアメリカで起きた文化的現象を題材に『ヒップな生活革命』という本を書いて出したとき、「生活」と「革命」をつなげたのは、自分たちが生活を営む小さな世界で、自分の革命を起こすことが可能なのだと信じたからだ。とはいえ、自分が生きているあいだに歴史に残る規模の革命が起きるとは、夢にも思っていなかった。

思えば、2019年は革命前夜だったのだろう。

2010年代前半に起きたメイカーズ革命やDIYとインディペンデントの黄金時代は、ジェントリフィケーション（高級化）やインフレに圧迫されて、いつしか勢いを失っていた。海の水位が上がって都市が水没する、農作物が育つ表土が失われる、といった急速に悪化する地球の健康状態についての警鐘が日々鳴らされるわりには、現代人たちはライフスタイルを変えることができず、都会は汚れた空気に満ち、ストリートには大量のゴミがあふれていた。2017年にトランプ大統領が就任してからは環境規制が次々と撤廃され、オバマ大統領を勝利に導いた「連合」を形成した労働者や移民、女性やLGBTQ+の人々に一度は与えられたはずの権利が、再び取り上げられる危機が迫っていた。トランプ大統領に許可を与えられたかのように、非白人や移民に対するヘイトクライムや警察による暴力事件があとを絶たなかった。スーパーリッチはさらに財を拡大し、都会はミドルクラス以下の庶民にはどんどん住みにくい場所になっていった。

それと並行して、トランプ政権誕生以降に勢いを増した、平等や格差解消を目指し、従来の資本主義からの脱却を説くプログレッシブ（進歩主義的）な市民運動は、財力と発言力のあるミレニアルやジェネレーションZたちと連帯し、デジタル戦略と消費運動の二本立てで影響力を拡大しながら、大企業や政治に大きなプレッシャーをかけるようになっていた。

そして、2020年がやって来た。

中国の武漢で発生した新型コロナウイルスがまたたく間に世界各地に広がり、3月中旬から下旬にかけてアメリカの都市部のほとんどが徐々にロックダウンに入っていった。これまでの世界の人の流れが、そして経済・産業活動が「一時停止」された。

アメリカの都会が終わりの見えないロックダウンに入って2カ月強が経った5月末、ミネソタ州ミネアポリスで、ジョージ・フロイドさんが殺される事件が起きた。白人の警察官が顔色ひとつ変えずに、無抵抗の黒人の首に足をかけ続ける映像がインターネット上に大拡散されたことで、2013年に生まれ、少しずつ勢いを増したり、ときには落としたりしながら続いていた「ブラック・ライブズ・マター(BLM)」運動が沸点に達した。

いま革命が起きている、と思うのは、コロナウイルスによる経済の停止からBLMへの流れの中で、労働者や市民がついに立ち上がり、具体的な変革を要求し始めたからだ。「これまで」の世の中に足りていなかった、マイノリティの権利平等、医療アクセスの向上、企業の環境対策の施行など、ミレニアルのアクティビストや市民運動が以前から求めてきたことが、少しずつではあるけれど、着実に、実行に移されるようになってきたのだ。

この革命は、なにも一昼夜で起きたことではない。脈々と続いてきた文化的現象や政治の出来事の積み重ねによって蓄積してきた市民感情が、コロナ禍と警察の不祥事によってついに爆発し、これまでなかなか動かなかった山が、急に音を立てて動き始めたのである。

『ヒップな生活革命』は、地産地消やサード・ウェーブ・コーヒー、メイド・イン・USAといった衣食住に関する局地的なマイクロムーブメントをひとつの線で結び、2008年に世界を恐怖の底に陥れたリーマン・ショックをきっかけに、「より小さく」「より丁寧に」「より足元から」という方向にシフトした消費者マインドを解説しながら、「インディペンデントな生き方は可能なのだ」と結論づける本だった。

「アメリカの消費者動向のいまを探る」というつもりで書いた本が、想像をはるかに超える数の人々の手に届き、それまで訪れたことのなかった日本の津々浦々での対話に私を誘ってくれた。東日本大震災という未曾有(みぞう)の惨事を経てそれまでの生き方を見直した人たちが故郷や新天地に作ったコミュニティを訪ねる機会が増え、アメリカで金融危機後に起きた動きと似たように、「より小さく」「より丁寧に」「より足元から」といった価値観を実践したり、昔からのやり方を復活させたり、進みすぎた「便利」によって起きたダメージを修復しようとしたりする姿に出会った。

ニューヨーク、そしてアメリカ各地で見てきた「その後」と、日本各地を旅して発見したことを『ヒップな生活革命』の続編としてひとつの本にまとめる、という構想は、5年ほど前からあったものだ。その元になる原稿を、オンライン媒体「NewSphere」で２０１９年1月から9カ月にわたり、「Wear Your Values（価値観を着る）」というタイトルで連載させてもらった。

振り返ってみるとこの連載は、大量生産・大量消費・大量廃棄の時代がやって来る前の世界を想像しながら、社会の最先端が向かう方向を見極めようとする、いたって複雑な作業になった。それを改稿している最中にも世の中はどんどん変わってしまい、結局、何度も書き直すはめになった。いまとなってはまったく原形をとどめてはいないが、新型コロナウイルスによって世界ががらりと変わり、おまけに革命が起きてしまったのだから仕方ない。

この本は、いま起きていることのルーツとなる「過去」から始まり、2020年冬という「現在」で終わる。その向こうの「未来」を見通すことはできないにしても、「現在」起きている事象を見据えつつ、この先の広がりを想像しながら書いた。

ひとつ言えることは、2001年に生じたアメリカ同時多発テロ事件、2008年に始まった金融危機が引き起こしたのと並ぶくらいの、またはそれ以上の規模の文化シフトが、いま起きているということだ。

結局ボツにすることになった原稿を書いていたときは、増える一方の社会課題と加速する環境破壊を前に、とにかく「ヤバい」という気持ちを抱えていた。けれどいまは、以来さらに進行してしまった環境ダメージはさておき、パンデミックの発生によって、必要だった社会変革がついに進み始めたのだ、という気持ちでいる。

革命には抵抗がつきものだ。人間という生き物は変化に対して恐怖を抱くものだし、世の中が変われば損をすると考える既得権益勢力が、社会の様々なレイヤーにおいて現状にしがみつこうとする。当然のことながら、変革を妨げようとするパワーもまた凄まじい。変革を起こそうとする力と、過去を維持しようとする力が、常に社会のどこかで衝突を繰り返している。

この本に書いたことは、ニューヨークという都会の片隅にこれまで20年以上にわたって暮らし、アメリカ各地を旅してきた私が肌で感じる風景をまとめたものだ。別の場所に立っていれば、まったく違う風景が見えるに違いない。

日々、「あなたは革命のどちら側につくのですか?」という疑問を突きつけられているような気持ちで生きている。自分はいつでも変革、そして進歩の側に立っていたい。誰もが性的・人種的・宗教的アイデンティティに関係なく、安全な暮らしにアクセスできる社会を夢見るほうについていきたい。

いったん始まってしまった雪崩(なだれ)を止めることはできない。

革命は、自分が参加しようと、参加しまいと、起きるのだ。

01

消費はアクティビズムになった

この本で「はじめまして」の人もいるだろうから、これから述べることの軸足を設定するために、まずは自己紹介もかねて、自分が生きてきた時代、そして仕事を通じて自分が見てきた風景のことを書いておきたいと思う。

私が生きてきた時代のこと

１９７３年に生まれ、東京で育った私は、70年代に起きた2度のオイルショックによる不景気の記憶もほとんどなく、物質的に豊かな時代に育ったのだろうと思う。いちばん古い記憶をたどると、小学生のときに住んでいた街には個人経営の店が連なる商店街があった。お使いといえば、母から持たされたメモを片手に、肉は肉屋で、野菜は八百屋で、豆腐は豆腐屋で買う、という子供時代だったから、いまだに大型スーパーは苦手である。お使いに行けば行く先々で褒（ほ）めてもらえるので、あちこちで油を売っていた。幸せな幼少時代の記憶だ。

いまのように、東京のいたるところにキラキラした商業施設があるような時代ではなかった。中学に入るとラジオで洋楽を発見し、アメリカに憧れてレコードショップや書店に通い詰めた。何時間いても咎められなかった。英語の教科書で「リーバイス」誕生のストーリーを知り、近所のデニム屋の店員のスタイルを観察して心を躍らせた。

80年代半ばから90年代はじめ、日本はいわゆるバブル経済を享受した。経済を理解する年齢には達していなかったけれど、社会全体がとにかく浮かれていたことは強く印象に残っている。人々が身につけたり手にしたりするものが、各世帯の所得やステータスを表現するものなのだということは子供心にも理解できた。

バブル期の日本では「高いものはエラい」というブランド信仰が常識だった。ブランド品を所有することは、経済的な豊かさを手に入れた人たちにとって富の象徴であり、人々はエルメスやルイ・ヴィトンのようなブランド品を嬉々として買い求めた。日本人はパリやニューヨークに行き、いまの世の中で言われているところの「爆買い」をまさに実践していたのである。

日本のバブル経済は1989年をピークに株式市場が下落したことが引き金となって壮大な音

を立てて弾け散ったが、物質主義は残った。私が大学生だった90年代前半は、まだバブルの残り香のようなものがあって、大学生でもバイトの口には困らなかったし、航空券は安く、海外旅行に行くことのハードルも高くなかった。通っていた大学が設けていたスタンフォード大学への短期留学プログラムに参加して、西海岸のアメリカ文化に完全に魅了され、「アメリカに行く」が目標になった。アメリカの古着に夢中になり、数々のアウトドアブランドを発見して、デッドストック（未使用在庫）を求めて浅草や高円寺を徘徊したりした。

１９９６年に念願かなって留学生として渡米した。2年後に、憧れだったニューヨークに引っ越してしばらくは会社員をやったが、２００3年にライターとして独立し、ライフスタイル誌やファッション誌でメンズファッションやカルチャーの取材をするようになった。２０００年代のニューヨークは好景気に沸いていた。ミニマリズムを極めたホテルのラウンジで重低音の音楽が響き渡る中、シャンパンをすることがクールだとされた時代だった。ニューヨーク市は軽犯罪を厳しく取り締まることで「治安浄化」に成功し、チェーン展開する大手の小売業者を次々と誘致した。その過程で、街全体の「ショッピングモール化」が起き、個人経営のレストラン、書店やミュージックショップが次々と潰れていった。

憧れのニューヨークでのライター生活は刺激的で楽しかった。けれど、いつも自分が惹かれるのは、モダンでピカピカした幻想のニューヨークよりも、汚くてもエッジーで、リアルなニューヨークのほうだった。

生まれて初めてネイティブ・アメリカンの居留区を訪れたのは、そんな時代のさなか、2006年のことだった。旅の記事を作るために、スピリチュアリティの聖地と言われながら想像以上に観光地化していたセドナから、4時間以上車を走らせてホピ族の居留区に着いた。ホピ族は数あるネイティブ・アメリカンの部族の中でもストイックなことで知られ、アリゾナ州の居留区ではいまだに電気や水道を拒絶した生活が営まれている。

ホピ族の居留区では部外者が自由にうろつくことは許されていないけれど、縁があって知り合ったホピの女性、アナが案内してくれた。かつては日本のショップがシルバー細工を買いに来たり、国内から観光客がやって来たりしていたが、時代の趨勢とともに居留区を訪れる人の数は減るばかりだと、アナはため息をついた。彼女のはからいで陶器のアーティストのスタジオを見せてもらうチャンスを得た。セドナのショップに並べばおそらくけっこうな値段がつくであろう作品を作るアーティストのアトリエは、突然の訪問が申し訳なく思えるほど荒廃していた。踏み込んでしまったような気がしてお詫びの言葉を発した私に、彼女がこう言った。

「いいの、こうやって見てもらうことが大切だと思う。ふだん使っているモノがどうやって作られているか、ほとんどの人は考えたりしないでしょう?」


ふだん使っているモノがどうやって作られているか、ほとんどの人は考えたりしない。

心にずしりと響いたその言葉を、原稿に書き、そして頭の中の引き出しにしまった。いま思えば、彼女の言葉がその後の私の進む方向にひとつの道標を置いてくれたのだろう。

2008年9月にリーマン・ショックが起きたことで、ニューヨークのバブルは弾け散った。いくつもの会社が潰れ、たくさんの人が職を失った。けれどクライシス(危機)が収まったあとに生まれたのは、行きすぎたグローバリゼーションに対抗してローカリズムを強化しようというムーブメントや、モダンで完璧な世界を演出するよりも廃材やすでにある物を加工して再利用しようという機運で、それとともに消費者マインドにもシフトが起きた。食品業界における大量生産のリスクをめぐる啓蒙が始まり、スローフードや地産地消、フェアトレードの概念が普及したり、コミュニティ活動が盛んになったりした。食のアルティザンやインディペンデントの作り手が多数生まれ、ソーシャルメディアやインターネットを駆使してオーディエンスを築いた。

より近い場所で作られたものを大切にしようという流れのなかで、メイド・イン・ジャパンやメイド・イン・USAが再び評価されるようになり、大手のブランドもその創立時に重視されたクラフトマンシップや伝統の歴史へと回帰し始めた。そんなこともあって、私自身、アメリカ国内の工場やものづくりの現場を訪れる機会を頻繁に得られるようになった。

その頃にはもうNAFTA（北米自由貿易協定）からの流れで、アメリカの製造業の拠点の大半はコストや賃金の安い海外に流出していたが、一方で、「古き良き」ものづくりの仕方を復活させ、それを守ろうという動きも生まれていた。「リーバイス」にデニムを提供していたノースカロライナ州のコーンミルズ社のホワイトオーク工場では、電気を使わないアナログの織機を倉庫から掘り出してセルビッチデニムを作るという試みが行なわれていたし、一度は自治体として破綻したデトロイトでは、新たに立ち上がった「シャイノラ」がスイスから技術者を招いて、職人たちを訓練することで「アメリカで組み立てる時計」をブランド化しようとしていた。

衣食住にまつわる文化の隅々でローカリズムの変革のつぼみが開花している。そう感じたことを2014年に『ヒップな生活革命』にまとめたはいいが、それと同時に、ローカルなものづくりを続けていくことのハードルの高さを感じるようにもなっていた。メイン州の「L・L・ビーン」の工場を訪れ、同社のアイコン的商品であるトートバッグやビーンブーツが熟練の職人たちの手によって作られるところを見学したときには、同時に、それはもはやアメリカではその他の大量の商品を作るインフラや技術を維持できなくなったということでもあると教えられた。日本国内の工場を訪問するたびに、職人の高齢化によって、技術の継承が危機にさらされている現状を目の当たりにした。

より広い世界に目を向けてみると、相変わらず、使って捨てる文化が猛威を振るっていた。低所得者層に流行の衣類へのアクセスや雇用を提供し、ファッションを民主化するという目的を持って誕生したファストファッションは、世の中に流通する衣類の数を爆発的に増やし、服の寿命を短縮した。先進国の消費者がいとも簡単に手にしたり捨てたりする衣類が、環境破壊を促進させるのみならず、途上国の製造の現場で人命を危険にさらしたり、公害の原因になったりもしている——そういう実情が少しずつ明らかにされるようになってからも、多くの消費者にとっては、安く物を手に入れられることのほうが重要なように見えた。「責任あるやり方」やオーガニック志向は、経済活動の方向性を変えるための対策というよりも、特権階級の贅沢である、という認識はなかなか変わることがなかった。

そして、どれだけ草の根レベルで小規模なものづくりやポスト資本主義のコミュニティづくりが盛んになったところで、そうした試みは、トップ20％の大企業経営者やスーパーリッチが富の90％以上を占有するアメリカの現状［★1］や、やみくもに消費を続けさせようとする経済のマシーンを前にしては、ほとんど無力だった。変革の波は、変革をよしとしない力によって、これでも

★1 NBER Working Paper No. 24085, "Household Wealth Trends in the United States, 1962 to 2016: Has Middle Class Wealth Recovered?," Nov. 2017

かこれでもかと潰されそうになった。同時に、科学者たちからは地球の健康状態の悪化を知らせるデータが次々と発せられていた。海面水位が上昇している、海や空の動物が大量死している、生態系のバランスが崩れかけている、人間に飲み水を供給する水源の汚濁が、農作物を栽培する土壌の汚染が広がりつつある、このままいくとマズい――専門家たちがこれほど警鐘を鳴らし、現実的にも常に世界のどこかで天災が人々の生活を脅かしているのに、先進国の主流の消費者たちは、正しいことよりも安くて便利なことのほうに依然として興味があるようだった。

けれどいま思えば、２０１９年までのその5年間のあいだに、たくさんの革命の種が蒔かれていたのだろう。その間にアメリカで何が起きていたのか、振り返ってみたい。

オバマからトランプへ

未曾有の金融危機が始まって2カ月後の２００８年11月、アメリカは史上初めて黒人のバラク・

オバマを大統領に選出した。上院議員時代にイラクへの侵攻に賛成票を投じなかったこと、地球の温暖化対策を公約に掲げたことなどが若者を中心とした幅広い層から支持されて当選したオバマ大統領は、その後2期8年間の任期を務めた。オバマは、自力で保険に加入することのできない貧困層や既往症のある市民に保険加入のチャンスを与え、国民皆保険を通じて医療コストを下げようとする「オバマケア」を制度化し、LGBTQ+の権利拡大に尽力した。また2015年には、リベラルの悲願だった同性同士の結婚を連邦最高裁判所が合憲であるとの判断を下し、世の中はプログレス（進歩）の一途をたどっているように見えた。けれどその一方で、オバマの任期中もアメリカ国民の貧富の差の拡大が止まることはなかった。

オバマを勝利に導いたミレニアルたちは、教育の無償化や富裕層に対する増税、最低賃金の上昇や環境対策など、よりプログレッシブな政策を求めて、2016年の大統領選挙に向けてバーニー・サンダースの支持にまわった。民主党の中でも最もプログレッシブなサンダースは、党のエスタブリッシュメントの支持を得たヒラリー・クリントンを相手に善戦したが、最終的には予備選挙で敗北した。

２０１６年11月、世論調査では当選確実と言われていた民主党の大統領候補ヒラリー・クリントンが、ドナルド・トランプにまさかの敗北を喫して、世界をあっと言わせた。ニューヨークの不動産王としてテレビのリアリティ番組のスターになったドナルド・トランプは、「政治のアウトサイダー」として「Drain the swamp（沼から水を抜け、つまり、ワシントンの政治家の癒着を一掃せよ、の意）」、「Make America Great Again（アメリカをいま一度素晴らしい国に）」といったスローガンを標榜して、宗教的・文化的保守層、移民や女性やマイノリティの権利拡大に生活を脅かされていると感じる人たち、白人至上主義団体や反政府武装組織、そして民主党に課された規制を嫌う大企業に支持されて、大統領に就任した。

それと同時に、リアルな現場での抗議運動とデジタル空間における圧力行動からなるアクティビズムが爆発的に開花した。トランプ政権への抵抗運動のネットワークが素早く組織され、女性団体、環境団体、移民の支援団体、公民権運動などが反トランプ抵抗戦線を形成したのだ。

トランプ大統領は就任早々、「オバマケア」の解体、中南米や中東から来る移民・難民の排除、ＬＧＢＴＱ＋コミュニティや女性に与えられた権利の縮小、そしてオバマ前大統領が敷いた数々の環境規制の緩和など、次々と保守主義の政策を追求し始めた。

医療改革と並ぶオバマ大統領の功績といえば、パリ協定だった。世界的な気温上昇を食い止めるために、温室効果ガス排出のトップを走るインドや中国を説得し、その他世界の主要排出国の参加をも促して、なんとトランプが選挙に勝つ4日前、2016年11月4日に批准(ひじゅん)されたものだった。トランプは就任後すぐにパリ協定からの離脱を表明した。

オバマ時代に達成したはずのプログレスがどんどん巻き戻される状況を前に、消費はアクティビズムになった。大統領選挙が終わった直後から、雨後の筍のように、インターネット上でハッシュタグを駆使した運動やキャンペーンが登場した。トランプ政権と金銭的な関係のある企業のリストから始まった「グラブ・ユア・ウォレット(#GrabYourWallet)」は、トランプや娘のイヴァンカのブランドを使ってビジネスをする企業を対象にした不買運動に発展した。トランプの人気上昇に貢献した極右のニュースサイト「ブライトバート」に出稿する企業に働きかける運動から生まれたツイッターアカウント「スリーピング・ジャイアンツ」は、極右のプロパガンダ番組やプラットフォームに出稿する企業に対するSNSの圧力運動でアプローチし、広告を取り下げさせることに成功するようになった。

消費を通じたアクティビズムが最初に試されたのは、トランプ大統領が就任直後、イスラム教国出身者によるアメリカ入国を制限する行政令に署名したときだ。ニューヨークではすぐに、イスラム教徒率の高いタクシー業界がストライキを発表し、J・F・ケネディ国際空港の客のピックアップを中止した。そのタイミングで配車アプリ「ウーバー」がディスカウント・キャンペーンを発表したことが（ウーバーは偶然だと主張したが）SNSを通じて拡散され、あっという間にアプリを削除するハッシュタグ運動（#DeleteUber）に発展した。競合の「リフト」は、入国制限政策に反対する訴訟を起こした人権団体「アメリカ自由人権協会（ACLU）」へ100万ドルを寄付したことを発表して、ウーバーをボイコットしたユーザーを獲得にいった。瞬時に起きたこのユーザー獲得戦争の結果が明らかになったのは、のちの2019年だ。ウーバーが株式上場にあたり証券取引委員会に提出した書類には、「#DeleteUber キャンペーンの結果、数十万単位のユーザーが数日以内にアプリを削除した」と書かれていた。

このエピソードは、トランプ時代の消費者たちが自分の財布を使うアクティビズムにシフトしたことを示す事例になった。自分が反対する政治家とつながりのある企業やブランドには不買の姿勢を表明する「ボイコット」と、自分が信じる大義や価値にコミットする企業やブランドには喜んでお金を使う「バイコット」の二本柱からなる、「消費アクティビズム」の時代が到来したのだ。

時代は「ミー」から「ウィ」へ

こうした消費アクティビズムを牽引（けんいん）するのは、「ミレニアル」である。1981年から1996年のあいだに生まれたミレニアルは、アメリカ国内だけでも7210万人にのぼり、いつしか最大の人口ブロックに成長した[★2]。モチベーションが高く独立精神も強いが、同時に自我も強いため、皮肉を込めて「ミー（Me）世代」と呼ばれ、個人主義でコミュニティ精神が欠如し、

★2 Pew Research Center, "Millennials overtake Baby Boomers as America's largest generation," Apr. 2020

政治的関心が低いのだと思われてきた。世紀の変わり目、コンピュータやスマートフォンが当たり前に存在する時代に育ち、ブランドよりも実質を、所有することよりも「シェアリング」を求める。ブランドへの忠誠心は前の世代よりも低い一方で、商品のクオリティやサービスの価値を重視し、社会責任政策などによって、自分がお金を使うブランドや企業を決定する。ちなみに、企業の価値観をベースに購買活動をするこうした消費者を「バリューベースド・コンシューマー」と呼ぶ。

トランプ時代に入って、自分勝手だったはずのミレニアルたちが、消費を通じた社会運動を先導するようになった。ミレニアルの運動に効力があるのは、そこに財力と消費力があるからだ。アメリカのミレニアルたちはいま、世代別の購買力を見たときにぶっちぎりでトップを走っている。アメリカ労働統計局のデータによると、年間にミレニアルが使う金額は1人あたり平均約4万7000ドル[★3]、世代全体で見ると年間6000億ドルの購買力を誇る[★4]。

そのあとに続くのは、「ジェネレーションZ(Z世代)」である。諸説あるが1997〜2000年以降に生まれたこの世代は、ミレニアル同様、社会意識や環境への関心は高く、ミレニアル以上に世界を変えたいというモチベーションと危機感が強い。企業で働くことよりも起業を望む。「ミー世代」と呼ばれたミレニアルよりも、コラボレーションや団結に興味がある。ちょうどいま一番年上のジェネレーションZたちが成人しようとしているところだが、人口の規模も大きく（2020年時点で8600万人）【★5】、購買力でもミレニアルを抜くポテンシャルを持っている（同時点で推定1430億ドル）【★6】。

この2世代が共有するのは、圧倒的にリベラルかつプログレッシブな価値観だ。人権を大切にし、性のアイデンティティはより流動的で、また、所得格差の是正や健康保険、福祉や環境問題対策において、政府はより大きな役割を担うべきだと考え、新自由主義とは立場を異にしている。

ただ一方で、彼らの描く長期的な将来図は明るくはない。学生ローンを抱え、自分の金銭的な将

★3 U.S. Bureau of Labour Statistics, "Fun facts about Millennials: comparing expenditure patterns from the latest through the Greatest generation," Mar. 2018
★4 Accenture, "Who are the Millennial shoppers? And what do they really want?"
★5 Knoema, "US Population by Age and Generation in 2020," Apr. 2020
★6 Millennial Marketing, "The Power of Gen Z Influence," Jan. 2018

来と地球環境の未来に不安を感じている。政治や政府に対する不信感は強く、怒りを抱えている。前の世代より鬱や不安障害を経験する確率が高い。

トランプが大統領になったことで露呈した、レイシズムやアンチ多様性をめぐるシビアな現実認識と地球環境の先行きに対する危機感は、消費を通じたアクティビズムに従事するミレニアルとジェネレーションZの広範囲な連帯を生み出した。オバマ時代に性的マイノリティや移民の子供たちが獲得したはずの権利が喪失の危機に見舞われたとき、この両世代の異性愛者やシスジェンダー（出生時に割り当てられた性別と性自認が一致する人のこと）がLGBTQ＋の権利を守る運動に、男性たちがジェンダー格差解消のための運動に参加するようになり、市民が不法移民をICE（移民税関捜査局）の取り締まりから守る活動を組織し始めた。環境問題も、差別も、移民問題も、すべて地続きの人権問題だった。市民運動の「インターセクショナリティ（交差性）」が時代の合言葉になった。

この現象は「ウィ（We）時代の到来」とも言われる。「ウィ」の運動を繰り広げる人たちは、個人の自由よりも世界全体の人権の拡大を重んじる。それまで説かれてきた、有色人種（ピープル・

オブ・カラー）やLGBTQ＋コミュニティを取り込む「ダイバーシティ（多様性）」や「インクルージョン（包括）」を目指すことだけではもはや十分ではない、白人支配層が圧倒的なパワーを持つシステムを改革し、過去に抑圧されてきた人々の真の社会的「イクオリティ（平等）」を追求することが自分たちの「共同責任」だと考える。

トランプ時代の到来は、ミレニアルのアクティビストたちを政治の世界にも駆り立てた。2018年に行なわれた中間選挙では、プログレッシブなミレニアルが全米で地方議員選挙に挑戦し、連邦では上院下院合わせて127人という史上最多の女性議員数を達成した。

ミレニアルとジェネレーションZの消費者たちは、企業に対する要求も大きい。自分のお金は社会的責任を果たす企業に使うべきだと信じ、逆に、企業の雇用・環境対策などに失望すれば、その企業から物を購入するのをあっさりとやめるし、意見や不満を雄弁に表明する。経済活動や消費行為を通じて、企業の透明性やサステイナビリティ対策、社会的責任などを求める活動にコミットするのである。

2018年12月に総合コンサルティング会社のアクセンチュアが発表した「ミーからウィへ：

目的に牽引されるブランドの登場」と題されたレポートは、ブランドや企業はコミュニティに属するべきだと考え、ソーシャルメディアの運動もしくは不買運動によって社会を進化させられると信じる、新時代の消費者像を浮き彫りにした[★7]。

この傾向はアメリカに限ったものではなく、この調査での世界35カ国の消費者3万人の回答を見ると、全体の62%が、サステイナビリティ、透明性、雇用方針に関するイシューについて企業に態度表明を求めることも明らかになっている。回答者の53%が、企業の社会問題に対するスタンスにがっかりした場合、不満を口に出して言うと答え、同年にアメリカの消費者運動をテーマにした別の調査では、回答者2000人の75%が、ソーシャルメディアに投稿したりボイコットに参加したりするなどのアクションを取ることで、企業の社会問題へのスタンスに影響を与えられると考えていることがわかった[★8]。

ミレニアルやジェネレーションZの「財布に入っているお金はパワーである」という世界観によって、アクティビズムは消費の世界でますます効力を発揮するようになった。

怒れる若者たちと環境問題

消費を通じた社会運動がここまで活発になるのは、なにより若者たちが怒っているからだ。特に「若者たちが怒っている」と強く感じたのは、２０１８年2月にフロリダ州パークランドのマージョリー・ストーンマン・ダグラス高校で銃乱射事件が起きたときだった。19歳の元生徒が銃を持って校内に侵入し17人の生徒・教職員を殺害した事件を受けて、同高校の学生たちが立ち上がった。集会を開き、銃規制を拒否する政治家たちを名指しで批判し、具体的アクションとして全米の学生に連帯を呼びかけた。５週間後に行なわれたデモ「マーチ・フォー・アワ・ライブズ」に参加した市民の数の推定はメディアによって違うが、少なく見積もっても約20万人が

★7 Accenture Strategy, "From Me to We: The Rise of the Purpose-Led Brand," Dec. 2018
★8 Weber Shandwick, "Battle of the Wallets," Jan. 2018

参加したと言われている（主催者の公式発表は80万人）。

パークランドのアクティビストたちは、メディア出演とデジタル広報を通じて従来の銃規制運動やその他のプログレッシブ運動と連帯して、あっという間に運動を全米に拡大し、世論や政治に働きかけた。アメリカで最もパワフルなロビイング団体と言われてきた全米ライフル協会（NRA）との関係を断つよう、企業に要求した。NRAは単なるロビイング団体ではない。全米の自衛権（合衆国憲法修正第2条）の信奉者たちを会員に持ち、「銃のある生活」を保守のライフスタイルとしてブランド化した一大メディアでもある。高校生たちがリードした運動のおかげで、デルタ航空やユナイテッド航空、ホテルチェーンのウィンダム、NRAブランドのクレジットカードを発行してきたファースト・ナショナル・バンク・オブ・オマハなどが、NRAとの連携事業を解消することを発表した。

消費アクティビズムという武器を手にした若者たちが怒っている理由は、銃規制が進まないからだけではない。アメリカの富裕層と一般市民との所得格差がどんどん大きくなっていること、教育のコスト、特に大学の学費が高騰し続けていること、そして、大人たちが環境問題の深刻さを無視して、これまで通りに利益優先主義で社会を運営し続けていること——大人たちが残す負の遺産を将来自分たちが処理しなければならなくなることに対する若者たちの危機感は強い。

なかでも彼らが最も危惧するのは、環境問題である。２０１８年に国連のＩＰＣＣ（気候変動に関する政府間パネル）が発表したレポート「１・５度特別報告書（Global Warming of 1.5℃）」の中で、危機的状況を引き起こす水準とされる１・５度の温暖化が早ければ２０３０年にも起きるとの見通しを示したことが、若者たちの環境運動を一気に加速させる起爆剤となった。２０１９年９月に行なわれた「グローバル気候マーチ（Global

オーストラリア西部の街パースで学生たちによって行なわれた「グローバル気候マーチ」の様子（2019年9月20日）。撮影：Gnangarra

Climate Strike)」で、世界中の学生たちが大人たちを巻き込み、各地の広場を埋め尽くした映像を覚えているだろうか。パークランドの運動に触発されたというスウェーデンの学生アクティビスト、グレタ・トゥーンベリを筆頭に世界中の若者や学生などが中心となって、世界163カ国、地球規模で推定400万人が参加したこの運動は、文句なしに、これまでの環境デモの中でも最大の規模になった。

地球環境の先行きの暗さは、若者たちのメンタルヘルスにも大きな影響を及ぼしている。2019年9月にワシントン・ポスト紙とカイザー・ファミリー財団が共同で行なった全米のティーンエージャーに対する調査では、10代の回答者の57%が気候変動に恐怖感を感じており、52%が腹を立てていることがわかった。気候変動について楽観していると答えたのは全体の29%にすぎず、25%が実際に具体的なアクションを取っていると答えた。ティーンの4人に1人が環境運動に参加している、ということになる[★9]。

将来を悲観し、大人たちが作った欠点だらけの社会に怒っている若者たち相手に、大人が偉そうにしてもしょうがない。2019年、ミレニアルとジェネレーションZが甘やかされているとディスる老人の映像が拡散されたときには、「OK、ブーマー」とベビーブーマー（1946～64年生まれ）をいなすフレーズが爆発的に流行した。

プラットフォーム経済の光と影

アップルのiPhoneは人々のコミュニケーションを抜本的に変えた。フェイスブックのおかげで、いつでもどこでも世界中の人たちと「つながる」ことができるようになった。アマゾンのおかげで、タッチひとつで欲しい物が翌日届くようになった。わからないことがあれば、グーグルに言葉を打ち込めばだいたいの場合、答えを教えてくれる。グーグル、アップル、フェイスブック、アマゾン（GAFA）に代表される「プラットフォーム」が、私たちの日々の営みと経済活

★9 KFF, "The Kaiser Family Foundation/Washington Post Climate Change Survey," Sept. 2019

動を根本的に変えた。

こうしたテック企業が構築したインフラ上に商業行為が発生する「プラットフォーム経済」の黎明期には、たくさんの「それまでできなかったこと」が可能になった。たとえば、「シェアリング・エコノミー」というコンセプトのもと、「カウチサーフィン」のような旅行者と宿泊先提供者をマッチングするサービスや「ジップカー」のような乗り物シェアサービスが登場して、知らない者同士が空間や道具を共有できるようになった。「エアビーアンドビー」や「ウーバー」の登場によって、ホテルの代わりに他人の家に泊まったり、道でタクシーを拾う代わりにクリックひとつで車を呼んだりすることが可能になったと同時に、一般ユーザーがサービス提供者となり、空間や時間を貸し出すことで副収入を得られるようにもなった。またプラットフォーム経済は、「ギグ」と呼ばれる単発仕事を積み重ねる働き方を一般化し、「ギグエコノミー」と呼ばれる経済圏を形成した。それぞれのプラットフォームにスターが登場し、「自分」を商売道具にして稼ぐインフルエンサーなる「職業」が登場した。

インターネットが情報のアクセスや市場を民主化し、人民を大企業から解放する……はずだったのに、当初描かれたような「シェアリング」「ピア・トゥ・ピア（個人同士が同等の立場で）」といった美しい理念から乖離するのに時間はかからなかった。ユーザーたちが、プラットフォームによってもたらされた新たな現実や利便性に夢中になっているあいだに、コンテンツ消費という巨大な利益マシーンに組み込まれていた。いつしかGAFAはそこらの国家を超える規模に成長した。私たちは日々、こうしたプラットフォーム企業が利益を上げることに貢献しながら、常に一方的なルールを課され、データやコンテンツを握られている。

『ヒップな生活革命』で花開いた表現・創作活動も、ここまで述べてきたような消費アクティビズムも、こうしたプラットフォームが存在しなかったら今のような形には進化しなかっただろう。ところが、気づけばごく少数の企業が市場を独占し、圧倒的なパワーを持っている状況ができあがっていた、ということもまた現実である。

2016年の大統領選挙ではフェイスブックがフェイクニュースの温床になり、情報を通じたロシアからの介入を許した。グーグルやアップルに対しては常に独占禁止法違反の疑惑がつきまとう。働き方に自由や柔軟性をもたらすはずだったギグエコノミーは、特に「ウーバー」をはじめとする配車アプリや、「ポストメイツ」や「グラブハブ」といったギグワーカーと食品配送をマッチングするデリバリーサービスの登場によって、組合や企業からの福祉厚生や保護を受けずに労働者たちが仕事を請け負う構図を作り上げることになった。

未遂となったアマゾンの第二本部建設計画

GAFAのようなプラットフォーム企業が文化に及ぼす影響には個体差があるが、1995年にオンラインの書店としてスタートしたアマゾンはいつしか世の中のありとあらゆる商材を扱い、常に最安値を提供するオンライン市場として、リアル店舗、とりわけ個人経営の商店を圧迫してきた。

2010年代も中盤に差しかかる頃にはオンライン市場を圧倒的に独占し、地域経済や中小企業を弱体化させている、労働者や運送業者、環境を圧迫しているといった避難の声を浴びるようになったアマゾンだが、それがさらに加速したのは、やはりトランプ大統領就任以降である。消費アクティビズムの例として前述した「スリーピング・ジャイアンツ」は、トランプの勝利を支援した極右のニュースサイト「ブライトバート」にネイティブ広告（記事やメディアの中に自然に組み込まれる広告）を通じて出稿する企業に対して、同社による意図的な誤情報の拡散やその白人至上主義的思想を知らせる働きかけを開始した。働きかけを受けた企業の大半はブライトバートを出稿先から外す措置を取ったが、アマゾンはネイティブ広告の出稿先を選ばない方針をあくまで貫いたため、圧力キャンペーンが激化した。

2018年にはついに、ニューヨークで大規模な反アマゾン運動が起きた。きっかけはアマゾンが、かねてから計画していたシアトル本部の次の第二本部をニューヨークに作ると発表したことだった。アマゾンは前年の第二本部建設計画発表の際に、人口100万人以上の都市であること、公共交通機関が充実していること、国際空港があることなどを条件に、全米の都市に立候補を呼びかけていたため、アマゾンの第二の拠点がもたらす雇用に期待を寄せた自治体は少なくなかった。デンバー、ミネアポリス、オースティン、デトロイト――200以上の中堅都市が名乗りを上げ、地方政治家たちがこぞってアマゾンにインセンティブを差し出した。

それぞれが自分の都市の売り込みを展開する、さながらオーディションのような第二本部誘致計画は、初期候補の大多数が振り落とされる段階を踏んで最終候補の20都市に絞り込まれたが、最終的にアマゾンは、ニューヨークとワシントンDC近郊のアーリントンとに分けて第二本部を作ると発表した。西海岸のシアトルに本社を持ち、流通を事業の軸とするアマゾンが第二の拠点として展開するのには、当たり前すぎる選択だった。つまり、さんざん大騒ぎして多数の自治体にリソースを使わせた挙げ句、いちばん当たり前の選択肢を選んだわけである。でも、当たり前の答えを選ぶのになぜ、そんなにも遠回りをして自治体のオーディションをしたのだろうか。

その答えは、アマゾンがニューヨーク州から15億ドル、ニューヨーク市から18億ドル引き出した、30億ドル以上にのぼる減税や補助金などのインセンティブにある。各自治体との水面下の交渉から、なかばオークションのようにして最上の条件を引き出し、最終的にはニューヨークに落ち着いたのだろう。

アマゾンが2018年11月に発表したニューヨーク進出計画には、いくつかの柱があった。まず、第二本部の建設地に選んだと発表したのは、ロングアイランドシティと呼ばれる、ニューヨーク市の中でもクイーンズ最南西のエリアで、私が暮らすブルックリンのグリーンポイントからプラスキ橋を渡ってすぐの地域である。かつてはインダストリアルな地域だったが、住宅地に指定されたことから、高層コンドミニアムがどんどん建つようになった。人口過多による住宅環境の過密によってすでに「ミドルクラスが暮らせない街」になりつつあるとの危機感が広がっていたニューヨークで、アマゾン進出の報にうんざりする空気が漂った。

アマゾン誘致のもうひとつの柱は、約2万5000人の新規雇用だった。アマゾンは「平均15万ドルの年俸」をアピールしていたが、アマゾン社内の給与格差や倉庫スタッフの待遇の低さ、労働組合運動を妨害・圧迫してきた歴史などがクローズアップされた。失業率が全米の平均より低いニューヨークで、雇用創出というエサはマイナス面を指摘する声にかき消された。

アンドリュー・クオモ知事とビル・デブラシオ市長だけが知っていたと思われる誘致計画に、コミュニティグループや運動家たちは反発した。この反アマゾン運動を率いたのは、2018年の中間選挙で民主党の下院議員になったミレニアル社会運動のリーダー、アレクサンドリア・オカシオ＝コルテス（通称ＡＯＣ）である。ブロンクス出身のラティーナで、バーテンダーとして生計を立てながら２０１６年の大統領選挙ではバーニー・サンダース候補の陣営に参加するなどアクティビストとして活動してきたＡＯＣは、ニューヨークを代表しながら長いことワシントンに住んでいた民主党の古参議員を党内選挙で打ち負かし、圧倒的な民意の支持を得て下院議員になった。国民皆保険や最低賃金の引き上げ、温暖化の進行を食い止めると同時に国内の経済格差を縮小するためのインフラ整備を目指す「グリーン・ニューディール」を綱領に掲げ、バーニー・サンダースの後継者として労働者や若者、マイノリティ、環境主義者たちとの連合を築いている。

アマゾン進出の報が流れるやいなや、ＡＯＣや市議会議員、労働運動団体などが参加して、すぐにロングアイランドシティでアマゾンにノーを突きつけるための集会が組織された。誘致計画発表直後から地下鉄の構内やストリートで「No to Amazon（アマゾンにノー）」の署名運動が実施され、アマゾンのプライム・メンバーシップをキャンセルせよとの投稿がＳＮＳで拡散された。

ニューヨーク進出発表まで市議会議員たちと水面下で交渉を繰り返していたとされるアマゾンだが、世論を味方につけたプログレッシブな議員たちはアマゾンの代表との会合を拒否し、公聴会の開催を要求した。ニューヨークの代表者たちの要求に応えるかたちでアマゾンの代表が結局出席して公聴会が開催されたときには、アクティビストで満席になった議場にも「No to Amazon」のバナーが掲げられた。結局のところ、政治家から誘致されたはずのアマゾンは最初の発表から約2カ月後の2019年2月に、ニューヨーク進出計画を撤回した。

アマゾンはいま、アメリカ全土450カ所以上に物流倉庫や配送センターなどの施設を展開している。多くの自治体が雇用ほしさにインセンティブを差し出すため、アマゾンが州や地方自治体からこの20年間ほどで受け取った助成金はお

© Make the Road New York

「第二本部計画は腐敗した取引だ」といったメッセージのもと、ニューヨーク市民たちの手で行なわれた「No to Amazon」の活動。2018年12月に撮影。

よそ29億ドルにのぼる[★10]。実際の施設展開は市外であることが多く、地方税が回避されるため、自治体が享受できるうまみは雇用と設備投資だけである。

アマゾンの撤退がＡＯＣ率いる若き運動家たちの勝利なのか、保守派が嘆くように「雇用の喪失」だったのかは意見が分かれるところである。住民たちの反対にあって撤退したアマゾンは２０１９年12月、インセンティブを受け取らないまま、マンハッタンのハドソンヤードに静かにオフィススペースを確保した。

進化する企業の社会的責任とコーズ・マーケティング

アメリカの企業文化のメインストリームは、１９７０年代にシカゴ大学のエコノミスト、ミルトン・フリードマンが説いた「企業の社会的責任は利益を最大化することである」という考えに基いておおむね運営されてきた[★11]。そのため企業は、長いこと政治的立場の表明を避ける姿勢を貫いてきた。そうすることで、政治的立場が違う、または中立の消費者を遠ざけてしまうリスクは回避されたし、企業が社会へ何かしらの還元をするには、税金対策の意味合いをも持つ財団や基金、チャリティへの寄付を通じて果たし、政治に働きかけるためには、ロビイストを雇ったり政治家に献金したりといった手段が使われた。しかし時代とともに多くの企業がこの伝統から離れ、社会へのコミットメントを強めていくのにしたがって、企業の「社会的責任」が意味するものが劇的に変容するようになった。

2004年にフィリップ・コトラーとナンシー・リーが共同で上梓した『コーポレート・ソーシャル・レスポンシビリティ』(邦訳は『社会的責任のマーケティング——「事業の成功」と「CSR」を両立する』東洋経済新報社、2007年)によると、企業の社会的責任は以下の6つの項目に集約される。

★10 Good Jobs First が公開しているアマゾンの取得助成金リスト(2020年7月)

★11 Milton Friedman, "The Social Responsibility of Business is to Increase its Profits," The New York Times Magazine, Sept. 13, 1970

1　慈善活動

2　従業員とのエンゲイジメント（積極的な関与）

3　社会的責任を考慮した商習慣

4　コーズ（大義）のプロモーション

5　コーズ・マーケティング

6　コーポレート・ソーシャル・マーケティング

「コーズ（cause）」という言葉は日本語に訳しづらい。辞書には「目的」「大義」などと書いてあるが、ジェンダー平等、ある特定の人種や宗教に対する偏見の撲滅、環境問題についての啓蒙などといった具体的な社会変革を指すことが多い。

いま企業が社会的責任を果たすための方法論には、大義のプロモーションや社会課題の解決を目指すチャリティや非営利団体に寄付する、従業員が大義や運動に参加するのを支援する、環境問題や雇用の面で責任ある政策を取る、大義の発信や啓蒙を行ない消費者の参加を促す、公益や社会環境の改善を目指す、といったことがある。

なかでもトランプ時代に入って開花したのは、コーズ・マーケティングだ。過去の成功例としては、乳がんについて啓発する「ピンクリボン」や、多くの企業が参加してエイズ研究のための資金集めを行なった「プロダクトレッド」など、啓蒙運動と資金調達の両面で成果を出したキャンペーンがあるが、政治が保守に傾いて消費者運動が盛り上がったことで、コーズ・マーケティングも加速した。国際女性デー（3月8日）には女性や母親をテーマにした広告キャンペーンがタイムラインを埋めるし、スーパーボウルのような一大イベントの際には、アメリカを代表する企業がダイバーシティやインクルージョンをテーマにした広告合戦を繰り広げるようになった。

2018年にナイキが、「Believe in something. Even if it means sacrificing everything（何かを信じろ。それがすべてを犠牲にすることであっても）」というコピーとともに、NFLのスタープレイヤー、コリン・キャパニックのポートレートを使った広告を打ったとき、世の中は大騒ぎになった。キャパニックは2016年、警察による黒人の市民への暴力に反対する「ブラック・ライブズ・

マター（#BlackLivesMatter：以下、ＢＬＭとも略記）」運動に連帯の意を表明するために、試合前の国歌斉唱の際に膝をつく平和的抗議を始めて保守的なリーグとファンの反感を買い、２０１７年にフリーエージェントになってから一度も契約できていない状態が続いていた。自分のキャリアを犠牲にしてまでも意思を貫いたキャパニックをたたえ、ＢＬＭをめぐる対話の促進を目的にしたこのキャンペーンは、プログレッシブ・リベラル層には称賛されたが、保守層は激怒してナイキの商品を燃やした。結局ナイキは、プログレッシブの若者たちのあいだでのブランド価値を上げ、それによっても株価が上昇することになった。

Photo by Robert Alexander/Getty Images

サンフランシスコのユニオンスクエアにあるビルにも掲げられた、コリン・キャパニックのポートレートを使ったナイキの広告（2018年9月12日）。

若い消費者たちの購買力と発信力は、企業に政治的スタンスを率先して表明させる原動力にもなっている。最近のアメリカの分断イシューのひとつ、中絶問題もその一例だ。アメリカでは、1973年に合衆国最高裁が下したロー対ウェイド事件の判例によって、中絶は女性に与えられた選択の自由であるという認識が憲法の解釈として確立されていた。ところがそれとほぼ同時に、南部や中部の保守州では、中絶は人殺しであるとする「プロ・ライフ」運動が始まった。こうした運動は以来ずっと続いていたものだが、2019年、トランプ政権が最高裁判事に保守派のブレット・カバノー判事を任命したことで、ジョージア、ミシシッピ、ケンタッキー、ルイジアナ、ミズーリなどの州で中絶の権利を制限しようとする運動に弾みがつき、中絶の権利が一気に危機にさらされることになった。

そんな状況に、アメリカを代表する多数の企業が声を上げたのは印象的だった。2018年6月10日、イェルプ、ティンダー、ツイッター、ブルームバーグといった大企業から中小のファッション企業まで、合計180社以上が連名で「(中絶を制限することは) 従業員や顧客の健康、独立性、経済的な安定を脅かすもの」とする書簡をニューヨーク・タイムズ紙の全面広告という形で発表した。また、これまでジョージア州の積極的な誘致によって多数の番組や映画の制作を同州で行なってきたディズニーやネットフリックス、ワーナーメディアといったエンターテインメント企業が、同州議会に提出されていた「心臓の音が聞こえた時点以降の中絶を禁止する」という法律が施行された時点でジョージア州内での撮影を中止する用意があることを表明した。

中絶を選択する権利は、女性の身体の自己決定権問題であるという意味でヘルスケア問題であり、人権問題でもある。政策の変更によって直接的に影響を受ける従業員や顧客の権利を守るために、企業が政治的スタンスを表明する時代になったのだ。

あいにく、トランプ時代以前から地道に続いてきた保守派の反中絶運動が功を奏して、それ以降も、アラバマ州での中絶の全面禁止をはじめ、心臓音が聞こえる妊娠6週目以降の中絶禁止法案が計9州で成立してしまった。これらの合憲性については2020年秋以降に最高裁で争われることが決まっている。

アクティビストCEO

社会を変革しようとするアクティビズムは、企業と消費者とのあいだだけでなく、企業内部の様々なレイヤーでも起きている。そのひとつが、「アクティビストCEO」である。典型的な例は「パタゴニア」のイヴォン・シュイナードだろう。アウトドアブランドのパタゴニアを1973年に創業して以来、「アクティビズム・カンパニー」を自認し、顧客に対して環境問題についての啓蒙活動を重ねてきた。2011年の年末商戦にはあえて「このジャケットを買わないでください」という広告キャンペーンを行ない、消費主義への警鐘を鳴らした。近年では、フリースの洗濯による水質汚染について調査結果を発表するなど環境問題に深くコミットしつつ、国有地を切り売りしようとするトランプ政権の国指定保護地域縮小政策を阻止するために自然保護団体が起こした訴訟の原告団に参加するなど、抵抗勢力のど真ん中にいる。政権の方針に協力を表明したユタ州に対する抗議として、これまで州都ソルトレイクシティで行なわれてきたアウトドアのトレードショー「アウトドア・リテーラー」をボイコットすると発表し、コロラドへの移転を実現した。ユタ州から収入を取り上げ、プログレッシブ勢力の強いコロラド州に経済的インセンティブを投与したわけだ。

これまでパタゴニアのような一部のプログレッシブ企業に限られてきたこうしたアクティビズムは、トランプ時代においてますます活発になった。保守のノースカロライナ州が、「出生届けに記された性別に従ったトイレを使用すること」を義務付ける州法を施行した際、特に保守的だと思われてきた金融業界から、バンク・オブ・アメリカのブライアン・モイニハンＣＥＯやペイパルのダン・シュルマンＣＥＯなど、同州での事業計画を変更する措置を取った経営者が出たことも、旧来の経済界の慣習と袂を分かつ決断としてニュースになった。

デルタ航空が、先にも述べたフロリダ州の高校銃乱射事件を受けて、ＮＲＡのメンバーに対するディスカウント（多数の会員を持つ協会や団体に加盟すると各種のディスカウントが受けられる仕組みがある）を中止したときには、左派からは喝采を浴びる一方で、銃規制に反対する保守派には不興を買った。同社のハブ空港を州都アトランタに抱えるジョージア州の州議会からは怒りを買い、4000万ドルの減税インセンティブを失う結果になった。これに対して、デルタ航空のエド・バスティアンCEOは「我が社の価値観は売り物ではない」と、NRAと州政府からの圧力に屈しない姿勢を貫いた。

デルタ航空が明確に示した政治的スタンスの、プログレッシブな消費者に対するアピール効果は抜群だった。そして結局のところ、一度デルタが失った燃料税の減免優遇は、2018年の中間選挙によって新たに発足した州政府によって再開された。州内で有数の雇用主であるデルタ航空vs州の力関係と、世論のシフトが作用したのだろう。

従業員アクティビズム

アメリカの企業が政治・社会的スタンスを明確にするようになった背景には、「従業員アクティビズム」がある。2018年11月、上司のセクハラに声を上げた従業員に対する報復人事があったことを経営陣が認めたにもかかわらず、その上司が処分されなかったことに不満を持ったグーグルの従業員のグループが、職場から「ウォークアウト（退場）」する抗議運動が起きた。

２０１９年にはアマゾンの従業員のグループが、経営陣に温暖化対策を求める要望書に８７００人の社員の署名を集め、過去に株式を受け取り株主となった従業員を株主総会に送り込んで届けるという事件が起きた。これまで気候変動に無視を決め込んでいたアマゾンですら、自然災害や気温上昇のせいで倉庫や施設を閉鎖する危機に見舞われているが、従業員が株主としての立場を利用して経営陣に対応を迫ったのは、これが初めてのことだった。

同年9月の「グローバル気候マーチ」の際には、多くの企業で、環境問題に心を痛めるスタッフたちが経営陣に環境対策を要求するアクションを起こした。「ベン＆ジェリーズ」、「パタゴニア」などのプログレッシブ企業は、社員がデモに参加できるよう、その日程に合わせて店やオフィスを閉める措置を取った。１７００人の従業員にストライキを脅されたアマゾンＣＥＯのジェフ・ベゾスは、ストライキ決行の前日に、環境対策とパリ協定の遵守にコミットすることを発表した。

こうした従業員と経営陣との交渉過程や、社員たちがバナーや旗を持って社屋の外でピケを張る映像はネットでライブ中継された。

ミレニアル世代は企業に対する忠誠心が元来薄い。調査会社のデロイトが毎年行なっているミレニアルの動向を分析するリサーチ結果によると、2016年の全世界の回答者8000人弱のうち、いま働く企業に勤め続けようと思っているミレニアル従業員はわずか27%で、66%がチャンスさえあれば辞める準備があると答えている[★12]。またミレニアルたちは、仕事のやりがいよりもワーク・ライフ・バランスや勤務形態の柔軟性を重要視することが明らかになった。ところが同じ調査の翌年以降の結果を追っていくと、勤務先の経営方針次第で企業への忠誠心が上昇する傾向にあることがわかる。彼らにとって働く企業を決めるうえで大切なのは、雇用主の経営方針がサステイナブルあるいはエシカルであるか、従業員や顧客を大切にしているか、商品やサービスのクオリティが良いか、といったことである。ミレニアルの労働者が経営陣に求めるのは、競争ではなくコラボレーション、権力闘争ではなく透明性を重んじる企業文化なのだという。

★12 Deloitte, "The Deloitte Millennial Survey 2016," 2016

ニューヨークのPR企業ウェーバー・シャンドウィックが２０１９年に行なった調査によると、社内アクティビズムに従事する労働者の数は増加傾向にあり、現在10人に４人がアクティビストを自認している。ミレニアルの従業員だけを見ると、77％が「従業員は社会問題について声を上げることで変革に貢献できる」と信じていて、48％が実際に、社会問題について社内での会話を促進する、人事や経営陣に働きかけるといった活動に従事していることがわかった。「目的時代の従業員アクティビズム」と題されたこの報告書は、企業評価を改善するためのポジティブな力として従業員アクティビズムを受け入れ、変革を求める声に耳を傾けることを推奨している[★13]。

従業員アクティビズムがいまこうして効力を発揮する背景には特に、高スキルの労働者をめぐる競争が激しいテック系のスタートアップ業界の売り手市場があるが、これまで行なわれてきた様々な調査の結果、従業員の幸福度と企業利益とのあいだに相関関係がある（裏を返せば、幸福でない従業員は組織にリスクをもたらし、損害を与えうる）ことが理解されるようになったからでもある。また、多様な社員を登用するという雇用政策が、非白人顧客やＬＧＢＴＱ＋といった、より広い市場へのアプローチを可能にするという実利的な側面もある。社会のプログレスを信じる従業員たちとの良好な関係が、ビジネスとしての成功に必要な要素のひとつであることを企業側も理解しつつあるのだろう。

プラットフォーム経済とギグワーカー

プラットフォーム経済によるインフラのおかげで人々の働き方は大きく変わった。それとともに、「ギグエコノミー」と呼ばれる経済形態が出現し、フリーランス労働者人口が急増した。

実は、ギグエコノミーの礎(いしずえ)を築いたのもアマゾンだった。2005年に導入した「メカニカル・ターク」というサービスで、ユーザーが特定のタスクを遂行する人材をアマゾン上で募集することができる、依頼者と請負業者とのマッチング市場を作ったのである。このプラットフォーム上

★13 Weber Shandwick, "Employee Activism in the Age of Purpose: Employees (Up)Rising," May 2019

の競争によって相場が下がったところに、金融危機後のリストラで求職者が増えたことなどから競争率が上がり、フリーランサーたちの賃金が下がる結果になった。

とはいえ、その後もひとりで活動するツールが次々と登場し、リーマン・ショックで正規雇用の仕事を失った人たちが必要に迫られて独立し、そこにフルタイムの雇用を増やしたくない企業の都合が合致して、ギグエコノミーが一気に加速した。写真家やデザイナーといった古典的にフリーランスが多い職業に加え、データサイエンティスト、ソーシャルメディア・マネージャー、アプリデザイナーなど、オフィスにいる必要のない職業の需要が拡大したこともあって、単発・短期的なプロジェクトの「ギグ」を請け負う労働者たちが増えたのである。さらには、ユーチューブやインスタグラム、新しくはTikTokなど様々なプラットフォーム上に、ハウツーからコメディまでありとあらゆるタイプのコンテンツビジネスが登場して、数々のスターが生まれた。

この新しい状況は雇用市場を抜本的に変えた。SNSを駆使して自分をマーケティングするという手法が当たり前になり、ソーシャルキャピタル（社会的資本）が人材の金銭的価値を決めるようになった。一方で、機会の種類は多様化した。オフィスへ通勤する代わりに、働く場所を選べるようになった。その結果、コワーキング・オフィスが新たな不動産ビジネスになり、ギグワーカーと雇い主をマッチングするプラットフォームが次々と登場した。犬の散歩から裁縫まで、ありとあらゆることが商売になった。収入の安定しない若者やクリエイターだけでなく、会社員であっても暇な時間を使って稼げる方法が増え、介護や子育てをしながら働かなければいけない人たちにも、ある程度の柔軟性を与えた。この新たなトレンドを受けて、企業はフルタイム労働者にかかる福利厚生コストを減らし、拠点地域の外で人材を確保できるようになった。

「自分が自分のボス」というコピーを引っさげて登場した配車アプリ「ウーバー」は、ギグエコノミーを最大限に利用した。自由な勤務形態を売りに、運転手を独立業者扱いしつつ、福利厚生は提供せずに解雇する権利を保持したまま獲得し、次々と展開地域を広げていった。企業と独立業者とのあいだの契約であれば労働法を遵守する必要がないわけで、結局のところフルタイムの社員並みに働きながら何の保障も受けられない運転手たちを多数生み出すことになった。

そういう自分もギグワーカーなわけだけれど、世の中にはライフスタイルの選択のひとつとしてギグ人生をやっている人もいれば、できれば会社に勤めたいのだが仕方なく、という人もいる。

フリーランスとして相当に稼げるレタッチャー（写真の補正技術者）のような仕事もあれば、ウーバーのように空いている時間を有効活用して車を運転したり食料を配達したりするギグもある。「自分が自分のボス」と言えば聞こえはいいが、もちろん良いことばかりはない。仕事を請け負うところから報酬を回収するところまで、さらには税金や法律関係の手続きだって自分の責任だ。自由を手にする代わりに責任は増えるし、保護やセーフティネットは用意されていない。マクロな視点で見るとプラットフォーム経済は働き方に柔軟性をもたらし副業の機会を広げたが、国民の所得を上げる結果にはならなかった。２０１９年に内国歳入庁がまとめた結果「ギグワークは伝統的な雇用に取って代わるか」によると、結果的にプラットフォーム経済の恩恵を受けて所得を増やしたのは、主に企業でフルタイムの仕事に従事しながらプラットフォームを利用して副業しているタイプの労働者だったのだ[★14]。それどころか逆に、「独立」という夢を買った人たちが大企業に搾取される、という構図すら生み出した。

ギグワーカー人口の比率が上がり、ウーバーという悪役が登場したことで、アメリカで初めて、ギグワーカーを労働法で保護する対象にすべきであるという声が上がるようになった。牽引したのは、推定200万人のフリーランス労働者人口を持つカリフォルニアだった。2019年9月、企業にギグワーカーの権利や福利厚生を保障することを義務付ける法案が同州議会を通過した。ほぼ同じタイミングで、ノルウェーや日本でも、食事を配達するギグワーカーたちが労働組合の組織化に成功した。

こうしたプラットフォーム経済に対する労働者側からのカウンターとして、「プラットフォーム・コーポラティビズム」という考え方が登場した。ニューヨークのニュースクール大学で教鞭を執るドイツ人研究者のトレバー・ショルツが提唱するもので、同じ職種の人が集まって組合として機能するプラットフォームの設計モデルである。ギグエコノミーにおいて、雇い主は労働者に単発・短期の仕事の対価を支払うが、そこでは労働者としての権利はほとんど保障されない。「プラットフォーム・コーポラティビズム・コンソーシアム（PCC）」を立ち上げたショルツがオンライン・キットや授業を通じて促進するのは、労働者のグループがオンライン上にプラットフォーム

★14 IRS, "Is Gig Work Replacing Traditional Employment? Evidence from Two Decades of Tax Returns," Mar. 2019

フォームを構築し、個人の代わりに団体として仕事を引き受け、雇い主から集金した利益を労働者に分配する協同労働組合（コープ）だ。

たとえばニューヨークには、家やオフィスの掃除を請け負う無数のクリーナーたちがいる。求職サイトの「インディード」によると、清掃仕事の平均時給は12・1ドルだが、労働許可証を持たない移民たちの時給は10ドルを切ることもある。しかも「タスクラビット」のようなマッチングサイトを通じて仕事を得ると、15％の手数料を支払うことになる。ひとりで稼働すると営業や集金も自分の仕事だし、病欠などの不測の事態に対応できない。こうしたなか、ＰＣのマニュアルをもとに「アップ＆ゴー」というクリーナーのコープが生まれた。一見よくある派遣サービスのように見えるけれど、メンバーが組織の所有権を共有し、顧客が支払う料金の95％はクリーナーに支払われる。

近年、ショルツの哲学をもとに設計されたコープが世界中に次々と登場している。コロラド州デンバーには、８００人以上の運転手が加盟する「グリーン・タクシー・コープ」があるし、カナダには、１万人以上の写真家が加盟するストックフォトのコープ「ストックシー・ユナイテッド」がある。こうした事例は、プラットフォームの原理を活かしながら労働者が主導権を握ることのできる働き方の可能性を示している。

すべてはステイクホルダーのために

企業の財政が四半期ベースの利益や損失によって評価され、右肩上がりの恒常的成長が期待されるという市場経済の原則は、環境的・社会的持続性が急務となった新たな世界の現実に沿わなくなってきた。

2000年代になって、株主へ利益を還元することよりも「社会全体の利益」を優先する「Bコーポレーション（公益企業）」という企業形態が登場し、それと並行して公益企業の認証システムもできた。「ベン&ジェリーズ」や「キックスターター」など、社会や地域経済を自分のコミュニティと見なし、それを守るための経済活動にコミットする企業が増えてきた。

２０１１年には、経済学者のマイケル・ポーターとマーク・クラマーが「Creating Shared Value」という論文の中で、企業は社会のニーズに着目し、ステイクホルダーとともに「シェアド・バリュー（共通の価値）」を創出するべきだと提唱した[★15]。従業員、コミュニティ、サプライヤー（物資の供給元）やベンダー（出入りの業者）、顧客、株主といった、自社の事業に参加する人々すべてを「ステイクホルダー（利害関係の保持者）」と見なし、事業に関わる全員の勤務・商業環境を整備したりフェアな賃金を確保したりするだけでなく、彼らの幸せを実現しようと努めることが組織を強くし、事業の持続性を高める、という考え方である。

これが生まれた背景には、リーマン・ショックのような金融危機に帰結した構造上の問題がある。株式相場が投機的な取引によって実体経済を伴わずに上昇し続け、最後にはバブルが弾けて経済全体を震撼させたこと、また、企業が利益を上げて株主に還元しても、貧富の差は大きくなるばかりで、社会全体の経済的持続性は上がらないこと。従来の資本主義のそうした限界を踏まえて、企業の存在意義を、利益を生み出すことから、ステイクホルダーを守り、繁栄させることへとシフトさせるアプローチだ。

近年になって、「パーパス・ドリブン（目的に動かされる）企業」という概念も登場した。具体的な目的に向かって邁進する「目的企業」の中には、「環境を守る」という使命に向かって運営されるパタゴニアのように特定のイシューに取り組む企業もあれば、サウスウエスト航空の「最安のチケットを提供する」という目的のように、それまでの商習慣に挑戦するディスラプティブ（価格破壊）系の企業もある。２０１０年にフィラデルフィアで生まれたメガネのブランド「ワービー・パーカー」は、それまで大企業の独占状態にあったメガネ市場を民主化すると同時に、メガネをひとつ売るたびに非営利団体（ヴィジョンスプリング）にもひとつ寄付するプログラムを通じて、これまで７００万個のメガネを貧困地域に配布することに貢献してきた。

２０１９年10月にデロイトが発表したレポート「目的がすべてである」によると、目的企業は利益主導の企業に比べて寿命が長く、成長ポテンシャルも大きければ、従業員の離職率も低く、こうしたことが、社会の前進を目指す企業に投資したいと考える消費者に接続する際の大きな

★15 Michael E. Porter and Mark R. Kramer, "Creating Shared Value," Harvard Business Review, Jan. - Feb. 2011

セールスポイントになっている［★16］。

優秀な人材にアピールし、社員のモチベーションを高めるための企業側のひとつの方策として、「プロフィット・シェアリング（利益分配）」を導入している企業もある。前述のデルタ航空はそれを採用する一社である。長年のスランプの果てに2005年に破産法適用を申請したデルタ航空は、エド・バスティアンCEOのもとで起死回生した。バスティアンは従業員の給料を50％カットするのと引き換えに株式の15％を社員に譲渡し、経営が黒字に転換すれば利益の10％をボーナスとして分配することを約束して社員のモチベーションを引き上げ、2010年に黒字に転換して以降は毎年一度社員にボーナスを払っている。デルタ航空のこのエピソードは、プロフィット・シェアリングの導入が財政改善につながった好例だ。

企業文化をめぐるこうした空気感の変容は、すでにメインストリームに伝播している。アメリカを代表する約200企業のCEOたちが集まってビジネス環境の変化に合わせた経営の方向性を討議する経営者団体「ビジネス・ラウンドテーブル」は、2019年8月に発表したステートメントの中で、「経営陣や役員会にとって最優先の責任は、株主たちに対するものである」という、1997年以来ずっと維持してきた原則から、環境改善や社会全体の公益の増加を目指そうという、「ステイクホルダー・キャピタリズム」へのシフトチェンジを表明した[★17]。

アップルのティム・クック、アマゾンのジェフ・ベゾス、GMのメアリー・バーラなど181人のCEOが共同で出したその声明文にはこう書かれていた。「〔我々は〕個々の企業がそれぞれの目的を果たしている一方で、すべてのステイクホルダーへの根本的なコミットメントを共有している。〔中略〕企業、周辺コミュニティ、国家の成功のために、すべてのステイクホルダーへの価値提供にコミットする」

近年時代遅れだと消費者たちから厳しい批判を受けてきたラウンドテーブルのドクトリンは、それまで貫かれてきた「株主第一主義」を直接的に否定する文言にはならなかった一方で、ステイクホルダーの範囲を株主から従業員、消費者、さらにサプライヤーやベンダーを含む周辺のコ

★16 Deloitte, "Purpose is everything," Oct. 2019
★17 Business Roundtable, "Business Roundtable Redefines the Purpose of a Corporation to Promote 'An Economy That Serves All Americans'," Aug. 2019

ミュニティや国家にまで広げた点で画期的だと、大きなニュースになった。

短期的な損得から脱却しようという空気感は、投資家の側でも醸成されつつある。持続性と責任ある投資を提唱する非営利団体「ザ・フォーラム・フォー・サステイナブル&レスポンシブル・インベストメント(US SIF)」によると、環境(Environment)、社会(Social)、ガバナンス(Governance)を考慮する「ESG投資」の規模は2017年末時点で12兆ドルにまで成長した[★18]。これは2016年の8・7兆ドルから38%増えていて、アメリカで金融機関によって管理される総資産の26%に相当する額だという。ESG投資の規模は、温暖化対策や温室効果ガスの削減努力、再生可能エネルギーの採用やリサイクルなどの環境対策面(E)、従業員の待遇や福利厚生、採用方針におけるダイバーシティやインクルージョン政策、企業としてのミッションなどの社会面(S)、役員の報酬や役員会におけるダイバーシティ、透明性、規制当局との関係性などのガバナンス面(G)という3つの分野で基準を満たす企業への投資額から算定される。

こうして、これまで利益中心主義だったアメリカの経済界にも少しずつ、社会全体の持続性を考慮する考え方が浸透してきたが、2020年に入って大きな山がひとつ動いた。7兆ドル以上を管理する世界最大の資産運用会社ブラックロックのCEOラリー・フィンクが、年に一度、投資先の大企業の経営者たちに送る書簡の中で、環境的持続性の欠如が経済のリスクになっていることを理由に、サステイナビリティを投資方針の核に据えること、サステイナビリティ関連事業にインセンティブを用意すること、また、売上の25％を化石燃料関連事業から得る企業からは投資を引き上げる可能性があることを明らかにしたのである［★19］。マイクロソフトやアマゾンといった企業が温室効果ガスの排出を相殺するための包括的なイニシアチブを発表したのは、その直後だ。遅ればせながら、サステイナビリティに真剣に取り組む企業が報いられ、そうでない企業は罰せられる、そういう時代が来たのかもしれない。

★18 US SIF, "Report on US Sustainable, Responsible and Impact Investing Trends 2018," Oct. 2018
★19 Larry Fink, "A Fundamental Reshaping of Finance," BlackRock, 2020

アパレル産業のサステイナビリティ

「サステイナブル」が企業文化の柱になるなか、2000年代に起きた環境問題をめぐる議論においてなぜか後ろ指を差されることを免れてきたアパレル業界だが、2010年代後半からは強く対策を求める声をたくさん浴びるようになってきた。

ライフスタイルの世界におけるサステイナビリティへの取り組みは、1990年に遡る。先述の「パタゴニア」やイギリスの「ザ・ボディショップ」といったパイオニア企業が、環境保護の見地から、素材の再検討ならびにリサイクル、リユース、リデュース（3R）による消費主義の見直しを提唱するようになったのを皮切りに、「グリーン」「エコ」という言葉が使われだした。

しかし、2000年代に入ってファストファッションが台頭した。そもそもは都市部の低所得者層や若年層をターゲットに、そのシーズンのトレンドを表現する安価な衣類と潤沢な雇用を提供する、つまりファッションを民主化するという目的を持って登場したはずの「ファストファッション」は、デザインから小売までの時間を短縮して、大量の商品を矢継ぎ早に市場に放出することで価格破壊を引き起こした。既存のハイファッション業界もこれに引きずられるように、小売店や消費者の要求に応じて生産高を増やしていった。

「早い、安い」を自慢に急成長したファストファッションの代償が2013年4月24日、極端なかたちとなって表れた。バングラデシュの首都ダッカで、縫製工場が多数入ったラナ・プラザという商業ビルが倒壊し、1100人以上もの死者を出したのである。この事件によって、ファストファッションの最大の生産国のひとつであるバングラデシュの縫製工場の労働環境がにわかに注目された。

2015年公開の『ザ・トゥルー・コスト――ファストファッション 真の代償』というドキュメンタリー映画（アンドリュー・モーガン監督）は、消費者たちを震撼させた。1日3ドルにも満たない低賃金で、欧米の人たちが「安い」と喜ぶ衣類を作るバングラデシュの工場員、大量に革を生産する工場の周辺地域に暮らし、精神病や身体疾患に苦しむインドの人々、遺伝子を組み換えられた綿の畑に殺虫剤を大量に散布するようになってから、急激にがんの発生率が上がっているテキサスの綿花栽培地帯……。「経済活動や雇用を途上国に供給している」という詭弁(きべん)の裏で、普段は目に見えないファストファッションの人的・環境的コストの恐ろしさを克明に映し出した。

こうした負の側面が注目され始めたこともあって、ファストファッションの売上の規模は2015年をピークに縮小に向かい始めた。けれど、ファストファッション時代が出現したことによる恒久的なダメージは小さくない。2000年から2015年の15年のあいだに世界のアパレル業界の生産高は倍増した。枚数にすれば1000億枚以上の衣類が1年間に市場に放出されるようになった。製造ラインで働く人員の数は2000年の2000万人から6000～7500万人へと3倍以上に増えた。その間、平均的な消費者が購入する衣類の量は60%増加し、廃棄量もまた倍になった。ちなみに世界三大市場は大きい順に、EU、アメリカ、日本で、生産国は大きい順に中国、バングラデシュ、インドである［★20・21］。

トレンドやシーズンの回転が速くなったファストファッションに引きずられるようにして、古典的なファッション業界も、利益を最大化するために、これといった規制を受けないまま生産量を増やし続けた。その結果、世の中に売れ残る衣服の在庫は肥大化した。そんな状況による弊害が少しずつ白日のもとにさらされるようになってきた。２０１７年にはニューヨーク・タイムズ紙が、転売を防ぐためにナイキが廃棄商品に切れ目を入れていると報じ、ちょっとした騒ぎになった。Ｈ＆Ｍは２０１８年３月の決算発表時に、額にして43億ドル分の膨大な在庫を抱えていることを明らかにした。

同年７月には、バーバリーが３８００万ドル相当の商品を焼却したことが明らかになって大炎上した。売れ残った在庫が市場に流出してブランド価値を下げるのを防ぐために、ファッション企業が商品を焼却するということは、それ以前にもファッション業界の「ダーティ・シークレット」として周知の事実ではあったけれど、ブランド自らがそれを認めるのはきわめて珍しいことだった。バーバリーはその２カ月後、将来的な焼却処分の停止を発表した。これまでファッショ

★20 Ellen Macarthur Foundation, "A New Textiles Economy: Redesigning fashion's future," Nov. 2017
★21 Clean Clothes Campaign, "Facts on The Global Garment Industry," Feb. 2015

ンという幻想のヴェールの後ろでひっそりと行なわれていたことも、透明性を求める声の前に暴かれるようになったのである。

有罪なのはアパレル企業だけではない。年間に生産される1000億枚以上の衣料のうち、半分以上の約60%が消費者によって処分され、焼却されたり、埋立地に送られたりする末路をたどるというデータ[★20]は、ファストファッションのせいで人が1枚の衣服に袖を通す期間が短くなったことを示している。そして、消費者が洗濯したり処分したりする衣類が原因で、年間50万トン以上ものマイクロファイバー(8マイクロメートル以下の極細の化学繊維)が海水へと流れ出ていく。私たち消費者の罪もなかなかのものだ。

衝撃的な数字は枚挙に暇がない。アメリカ国内に流通するテキスタイル(布地)のうち、95%が再利用可能なのに、現実にリサイクルされるのはわずか15%で、残りは埋立地に廃棄される[★22]。アメリカでは毎年、消費者1人あたり40キロ相当の衣類が捨てられるというが、天然素材だったとしても、その衣類が分解されて土に還るまでには少なくとも数十年はかかるし、化学繊維であればその過程でメタンガスを放出することもある。グリーンピースなどの環境団体がこうした悲惨な現状を次々と明らかにし、消費アクティビストたちを動員して激しい抗議運動を繰り広げたから、ファストファッション業界もついに動き始めざるをえなくなった。

２０１９年になるとついに国連やＧ７サミットでもファッションによる環境破壊が「問題」として議論されるようになり、フランスのエマニュエル・マクロン大統領の主導によって、ケリング、Ｈ＆Ｍ、インディテックス（ザラの親会社）にいたるまで、合計約１５０ブランドを傘下に持つ32企業が署名する「ファッション・パクト（協定）」が結ばれた（のちにさらに24社が参加）。

２０３０年までに生産現場のエネルギー消費を再生可能エネルギーに変えるなど、環境・生態系・海洋の３分野で数々の具体的な目標を含むＳＢＴ（Science Based Targets：科学に基づいた目標）へのコミットメントを定めたこの協定は、署名した企業の規模を合計しても世界の業界全体のわずか20％にとどまったとはいえ、多数のパワープレイヤーが参加した業界初の機関的協定として一応の評価を受けた。一方で、「製造」の中に新規テキスタイルの開発が入っていないこと、オー

★22 EPA, "Advancing Sustainable Materials Management: 2015 Fact Sheet," July 2018

バープロダクション（生産過多）への対策が目標から漏れていることなど、課題も残した。

業界を代表したケリングのフランソワ・アンリ・ピノーＣＥＯが、「個々で行なっている努力にもかかわらず、物事は進んでいない。目標を共同で定義する必要がある」として、従来のような業界内の競争よりも共闘が、排他性や秘密主義よりも情報の共有が求められていると促したのも印象に残った。こうしたファッション業界の価値シフトも、ミレニアルの世界観に後押しされているのだろう。

いま最も洗練された消費者たちは、環境への負荷のない、または少ない商品を求めている。リサイクル素材や、土に還すことのできる天然素材を使って、「エシカル」な方法で作られる商品を探している。が、残念ながらこうした努力はまだまだ足りない。２０１９年上半期でも、「サステイナブル」とタグ付けされる商品はオンライン市場全体のわずか１％にもなっていない[★23]。

価値観を着る

こういう時代なだけに、「着る」という行為は価値観を表現するツールとして存在感を増した。右派を見れば、トランプ支持者の目印は「Make America Great Again」と書かれた赤いキャップで、極右政治組織プラウド・ボーイズのユニフォームは、黒地にイエローのラインが入ったフレッド・ペリーのポロシャツだ(フレッド・ペリー社は2020年9月にこれを問題とし、アメリカでの販売停止を発表した)。左側を見れば、都市部の若者たちは、中絶や移民といった問題をめぐる政治的スタンスや、フェミニズムやLGBTQ+、BLMをサポートするメッセージを、アクセサリーやTシャツなど身につけるものに反映している。

「着る」ことを政治・社会運動に取り入れるムーブメントに「ファッション・アクティビズム」という名前をつけたのは、「スロー・ファクトリー」のセリーヌ・セマーンだ。レバノン出身で難民としてカナダで育ち、のちにアメリカに移住した彼女は2012年に、非営利団体の活動資

★23 McKinsey & Company, "Fashion's new must-have: Sustainable sourcing at scale," Oct. 2019

金を調達するためのブランドとして「スロー・ファクトリー」を立ち上げた。もともとカナダでオープンソースやクリエイティブ・コモンズの運動に関わっていた経験をもとに、著作権フリーのNASAのアーカイブを使って、空爆を受けるパレスチナ・ガザ地区や森林破壊が進むアマゾンの上空写真をシルク生地に印刷し、それをドレスやスカーフにして、売上を市民支援団体や環境団体に提供していたが、トランプ時代に入ってより積極的なアクティビズムにシフトした。表現の自由を保証するアメリカ合衆国憲法修正条項第1条をプリントしたボンバージャケットの売上を、トランプ政権の移民政策の合憲性について法廷で争うアメリカ自由人権協会に寄付するなど、さらにメッセージ性の強い商品を拡充するなかで「ファッション・アクティビズム」という言葉を提案し、「Wear your values（価値観を着よう）」と促した。

ファッションやライフスタイルの世界において、消費を通じた社会運動のチャンネルは多様化する一方だ。スニーカーの「トムス」が築いた、「ひとつ商品が売れるたびにひとつ寄付する」というモデルは、前述した「ワービー・パーカー」など後続のソーシャル・エンタープライズ（社会的企業）によって継承され、イギリスを拠点とするファッション小売サイト「ナインティ・パーセント」は、利益の90％にあたる金額を寄付するスキームをサイトに実装していて、用意された多彩な非営利団体のリストから、寄付先を購入者が選べるようになっている。

一方、自分の文化的・人種的アイデンティティをクリエイションに投影する新世代デザイナーには、世界観・世代観が色濃くにじみ出ている。イスラエルのストリートウェアブランド「エイディッシュ」は、パレスチナ人女性の手で施される刺繍（ししゅう）を使ったコレクションを展開しながら、イスラエルとパレスチナの分断に翻弄される人々の苦境を世界に発信している。1枚布から1枚の衣服を作るという無駄の少ない方法を取るジェ

Photo by Kory Hellebust

「スロー・ファクトリー」のボンバージャケット。アラビア語で書かれたアメリカ合衆国憲法修正条項第1条が背中にプリントされている。

ンダー・ニュートラルのブランド「ワンバイミー」は、生産プロセスに顧客を巻き込む実験プロジェクト「ワンラブ」を始めたが、これが発展して貧困地域の障害者にファッションの訓練を施す非営利団体に成長した。態度や立場を表明するだけでなく、本気の社会変革を目指してアクションを起こす新たなファッションのあり方もまた、多様化しているのだ。

どんな人間がデザインし、どこから調達したどんな素材を用いて、誰が手を動かしてどのように作っているのか、誰を雇用するのか、どんな包装材を使ってどうやって届けるのか、どんなモデルをどう見せるのか、そうした商行動にまつわる行為一つひとつが、そのブランドの価値観を構成する。そのブランドに対してお金を使うという行為は、社会変革を起こそうとする力に接続し、参加する行為でもある。

後日談だけれど、クリエイティブ・コモンズの理念をもとに、老舗の作った商品に社会的メッセージを乗せて利益の一部を寄付する、という方法で世の中に出たセリーヌは、2019年に商品の生産をすべて停止すると決めた。これだけ物があふれる世の中にさらに物を放出するという行ないに疑問を感じるようになったからだという。現在はファッション・アクティビズムのムーブメントの火付け役として、国連のＳＤＧｓ（持続可能な開発目標）勉強会のイベントをプロデュースしたり、ブランドに持続性を高めるための助言を与えるコンサルタントを務めたりしている。

02

インディペンデントは生き残れるのか

前章では、オバマ時代からトランプ時代にかけて、社会変革を求める力が消費文化や企業にどんな影響を及ぼしたのかを、マクロな視点から振り返った。この章では、ニューヨークに暮らすひとりの消費者としての視点から、パンデミックがやって来る前の自分の周辺コミュニティの様子を振り返りたい。

ブルックリンと高級化

2010年、マンハッタンのミッドタウンの縦長の風景に少し疲れた頃、縁があって、風景が横長なブルックリンのグリーンポイントに引っ越すことになった。バラク・オバマが大統領に就任して2年目、2008年から2009年にかけて起きた金融危機のダメージが徐々に落ち着いてきた頃だった。すでにその時点で友人たちの大多数がブルックリンに暮らしていて、食事や夜遊びもほとんどイーストリバーの向こうに移行していた。もともと1990年代後半から、人がなかなか住みたがらなかった対岸のウィリアムズバーグに移り住んだ人たちが地道にオルタナティブなカルチャーを築き、2000年代以降はDIYシーンが花開いていた。街のいたるところで夜な夜な繰り広げられるライブショーの入場料はどこもだいたい5~10ドルで、ビールは2~3ドルで飲めた。

グリーンポイント地区は、南側はウィリアムズバーグ地区に隣接しながらブルックリンの最北地にあって、運河を隔てて北側にはクイーンズが広がる。19世紀後半から工業地帯化し、ガラスや陶器の工場、造船所などがあった。19世紀から20世紀にかけてポーランド系の移民たちがコミュ

近年急に高級化が進んだグリーンポイントの一角。

ニティを形成して目抜き通りに商店街を築き、その後、ヒスパニックの移民たちが流入した、伝統的には完全にブルーカラーの労働者たちの街である。製造業が廃れるにつれて一時は地域も荒廃したが、１９９０年代以降は高い家賃を避けてやって来た人たちの手によって新たなコミュニティが生まれていた。今でもわずかながら老舗の大理石工場や木工場が残っていて、アーティストの工房やスタジオも多い。ホームレスを収容するシェルターがいくつかと、ハーフウェイハウス（更正施設や刑務所から現実社会へと移行中の人たちのための宿泊施設）がある。

マンハッタンとの距離が近いわりには、直接乗り入れる公共交通機関がないというちょっとした不便さのために、長いこと再開発の波とは無縁だったグリーンポイントは、移り住んでみると陸の孤島のような場所で、その代わりとにかくのんびりした雰囲気が漂っていた。スターバックスやマクドナルド、大手のドラッグストアなどのチェーンもあるにはあるのだが、なんとなく端っこで申し訳なさそうに存在している程度で、むしろポーランド系やその他の移民が昔からやっている個人商店や、地元のヒップスターたちが始めた店のほうが活気にあふれていた。徒歩圏内でコーヒー、食料品から衣類まで、生活用品はすべて個人商店で揃えられるのが新鮮だった。

一方で、もともと工業地帯だったグリーンポイントは、ニューヨークの中でも最もがんの発症率が高い地域のひとつでもある。19世紀以降、長年行なわれてきた産業廃棄物の投棄や石油流出によって汚染が進み、連邦政府による有害サイト指定を受けている。かつてプラスチックのレジ袋を作っていて廃業した工場跡地は、高レベルの有害物質が検出されながら、もう何年も放置されている。

そんな土地柄だから、環境問題や政治情勢に対する危機感は比較的高いほうなのだろう。街を歩けば、新たなパイプラインの建設に反対したり、大企業の排除を呼びかけたりする政治的なポスターやグラフィティが目につくし、選挙の日には投票所の周りに長い列ができる。比較的家賃が安かった頃にやって来たアーティストやクリエイティブ層も多いけれど、昔から何十年とこの地に住んでいる人たちもいて、コミュニティ精神は強い。ご近所付き合いもあるし、ビルの掲示場には常にコミュニティ集会の案内が貼ってある。

ウィリアムズバーグの食のマーケット「スモーガスバーグ」が大当たりしてブルックリンがブランド化すると、そんなグリーンポイントにも少しずつ大資本が流れてくるようになった。再開発が急速に進み、近年はＤＩＹのスペースの多くが閉業していくのと反比例するかのようにどんどん高層コンドミニアムが新築され、家賃相場が急に上がった。典型的なジェントリフィケーションである。

「ジェントリフィケーション」は日本語だと「高級化」と訳されることが一般的だが、もともと荒れていたり裕福でなかったりする地域に白人を中心としたアーティストやクリエイティブ層が流入し、それがきっかけとなって商業が栄え、結果として家賃が上がり、それ以前から存在するコミュニティが圧迫される循環的現象のことを言う。

長くこの地に暮らす人々にとって、ジェントリフィケーションという問題は複雑だ。悪として語られることのほうが圧倒的に多い言葉ではあるが、地元に働く場所と雇用が増えてコミュニティにお金がまわる、人通りが増えたり住民の所得が上がったりして治安が改善される、といった利点も否定できない。隣人たちがカフェやレストラン、コミュニティスペースを開けて、自分の暮らすコミュニティの活動を取材する機会も増えた。また、女性の私が夜に安心してひとりでも歩けるようになったのも、ジェントリフィケーションと無関係ではない。なにより自分だって流入者である時点で、少しずつ進んできたジェントリフィケーションの一部なのだ。とはいえ、たくさんのご近所さんが、住んでいた建物の売却によって家主が変わったり、コンドミニアム建設のために取り壊されたりといった理由で退去を余儀なくされるハートブレイクを何度も体験してきたし、いつか自分の家にもそういうことが起きるのではないかという不安を抱えながら生きている。

住居だけでなく、店舗物件の賃料の高騰も深刻な問題だった。ブルックリンへの入口的な役割を果たすウィリアムズバーグとの最大の違いは、我が地元はどこかに行く途中に寄る場所ではないということだ。名店と言われるレストランやバー、ライブハウスがいくつかあるおかげで夜や週末には一定の人がやって来るけれど、平日はいたって静かで、商店からすれば安定した客足が見込める場所ではない。そこに大資本がやって来れば、家賃の相場は必然的に上がる。店を営んできた人たちは上昇する商業家賃に圧迫され、どんどん建てられるビルの地上階に次から次へと店がオープンしては、潰れていく。うまくいっているように見えるのは良心的な家主からスペースを借りている老舗か、回転の早いコーヒーショップ、はたまた日常的に行くにはちょっぴりヒップな飲食店だけだ。アパートを見つけるのも一苦労という人気のエリアなのに、街を歩いていると空き店舗の多さに衝撃を受ける。空いた店舗の損失家賃は赤字として計上できるため、大家は家賃を下げるより空のままにしておくほうを選ぶからだ。

『ヒップな生活革命』で紹介したチーズとビールの店「イースタン・ディストリクト」をいま営んでいるのは、リーマン・ショックで職を失って起業したご近所さんカップル、ベスとクリスではない。ふたりは向かいに並んでいた長屋のような建物が取り壊されて大型コンドミニアムの建設が決まったときに、店を売ってマサチューセッツ州

グリーンポイントの筆者の住居の前にもコンドミニアムが新築され、窓から見えていたマンハッタンの風景を遮断した。かつてはここに、低層の商店が並んでいた。

のヒッピータウンに移住した。クリスはブルックリンを去る際、こう話していた。「店は僕らの夢の実現だった。チーズとビールを愛する人たちがいて、店もうまくいってる。でも僕らふたりともほとんど休むこともできずにいつも働いている。僕らが店に出ないシステムにしようとすると、店の利益は人件費に吸い取られてしまう。こんなギリギリでやっていくのにも疲れたよ」

「イースタン・ディストリクト」のストーリーはまったくユニークな話ではない。ブルックリンならどこにでもゴロゴロと転がっているような話だ。いま振り返ると、転換地点は『ヒップな生活革命』を出した２０１４年にすでにあったのかもしれない。カナダのクソガキたちが始めたインディーの雑誌『VICE（ヴァイス）』が企業化し、商業的な成功を収めて大成長した。ウィリアムズバーグの一角を借り上げて、なんとかしぶとく生き残っていたＤＩＹベニュー(ライブハウス)の「デス・バイ・オーディオ」を閉業に追い込んだのが２０１４年だったのだ。そのうち目抜き通りにアップルストアやホールフーズ・マーケットができて、ウィリアムズバーグは一気に商業化した。そんな今のブルックリンには、１９９０年代後半から２０００年代にかけて、ラフで汚かった分、何でもありだった時代の面影はほとんどない。

ただ、昔はよかった、と目を細めるつもりはない。ニューヨークは常に循環し続ける街だからだ。高級化が進めば人口の移動が生じて、まだ開発されていない場所や比較的家賃の安い場所に新たなコミュニティができる、という繰り返しが文化というものを作ってきた側面もある。とはいえ、資本主義の「神の見えざる手」だけに任せていたら、土地に根ざして存在するコミュニティが生き残ることはできない、というシビアな現実がある。

こうした問題はブルックリンのような急に高級化した地域に特有のものかというと、そうではない。オンラインショッピングの普及によってリアル店舗での小売不振が続く世の中で、かつてはショッピング街として輝いていたエリアが廃れる現象がマンハッタンでも起きている。マーク・ジェイコブスやラルフ・ローレンなどが店を構えていたブリーカー・ストリートですら、商業家賃が上がりすぎて空き店舗が絶えない。

地域とのつながりの薄い大企業がやって来て、家賃の相場が上昇する。その地に根を張って商売をしてきた商店が押し出される。地域住民も押し出される。そして世の中の潮目が変わり、元凶だった大企業も去っていく——ニューヨークでは何度も繰り返されてきたサイクルだ。問題なのは、大企業が去ったあとも高い家賃は残るということである。必然的に空き店舗が増える。空き店舗が多数ある、という風景は近隣の商店やコミュニティにとってもいいことではない。全体的に客足が落ちるし、街のムードが荒む。日本でいうところのシャッター街現象に似たことが、ここニューヨークでも起きているのだ。もう長いこと右肩上がりに伸び続けてきた家賃や物価の上昇によって、近年ニューヨークは「ミドルクラスが暮らせない街」と言われるようにもなった。愛する店はみな、どこもギリギリの状態で生き残っているようだった。

「非営利」という生き残りの方法論

2010年代前半は輝いていたインディペンデントな文化が、ジェントリフィケーションが急速に進んだことによって圧迫されるようになった。それと同時に、文化が生き延びるための方策もどんどんクリエイティブになっていった。

そのひとつの方法論として、アメリカでは「非営利で運営する」という選択肢がある。「利益を生み出すことを目的としない」、つまり必要経費を支払いながら存続していくのを目的とし、営利組織には与えられない税金の控除や助成金、寄付を受け取る権利を得て運営するやり方だ。

たとえば、ブルックリンのレッドフックには「パイオニア・ワークス」というスペースがある。自分の創作スペースの隣の建物が売りに出されたのを見たアーティストのダスティン・イェリンが、バウハウスからブラック・マウンテン・カレッジ、クーパー・ユニオン、MITメディアラボまで、様々な学府や研究機関のあり方を研究したうえで2012年にオープンした、学びと表現の空間だ。パフォーマンスアートや音楽のライブ公演、アーティストの滞在制作や展示、ワークショップや教育プログラムを展開する複合施設だが、アクセシビリティ（誰もがアクセスできること）とトランスディシプリン（専門分野を超えること）を命題にしている。

特に新しいのは、「文化」という広い枠組みの中に、物理学や環境学といった科学を組み込んでいることだ。創設者のダスティンはこう話す。

「いま人類は気候変動、所得格差、原子力、セキュリティ、感染症といった多数の問題を抱えている。人類は賢いし潤沢な知識を持っていて、対策を講じる能力があるはずなのに、分野横断的に協力したりコミュニケーションをとったりすることができないから何も進まない。そういう状況を前にして、文化と科学が人間を協力させるための接着剤として機能するんじゃないかという希望を持っている」

当初は、ダスティンのアーティストとしての知名度や幅広い交友関係によって生み出された贅沢なプログラムでファンを増やしたが、その後、分野の垣根を越えたプログラムを主催することでオーディエンスに学びの機会を与え、実在する社会課題を解決するための議論を促す活動へと

Photo by Alex Nawrocky

「パイオニア・ワークス」の外庭を見下ろす創設者のダスティン・イェリン。

拡大していった。領域を人文科学や芸術に限定しない文化機関としてのあり方や社会改革を目指す姿勢が多くの賛同者を集め、非営利団体として活動を続けている。

非営利の手法で運営する施設には、2015年末にウィリアムズバーグにできたライブハウス「ナショナル・ソーダスト」もある。オープン初年度はライブを500回（多いときには日に3ショー）を開催し、年間4万人以上を動員した。非営利で運営するにしても、それなりの資金力がなければできないことだ。

なぜそんなことが可能なのか、音楽家でもあるクリエイティブディレクターのパオラ・プレスティーニに話を聞きにいくと、その答えはアメリカの税法を利用したスキームにあった。非営利団体は運営資金を寄付で調達するが、ドナー（寄付者）は寄付額に応じて税金の控除を受けられる。長らくニューヨークの文化を支えてきたスキームではあるが、企業や市民が寄付できる全体のパイを多くの文化機関が競争して取り合うことになる。そこで「ナショナル・ソーダスト」が考案したのは、寄付と引き換えにドナーに建物のシェア（所有権）を発行するやり方だ。このため、ドナーの寄付額は地価をもとに算定され、不動産の評価額が上がれば彼らの控除額も増えることになる。投資家に長期的なバリューを還元できるこのスキームによって、「ナショナル・ソーダスト」は800万ドルという運営資金を調達することに成功した。

「ナショナル・ソーダスト」は「アーティストをサポートすること」を第一のミッションに掲げているが、それは演奏の機会を提供することだけではない。アーティストを「キュレーター」として招き、演目のプログラム編成に巻き込むことで創作を支援する。具体的には、補助金の名目で1万ドルを支払い、館内のスタジオで録音するといった制作援助をしたり、演目の制作過程を段階的に発表する場を提供したりする。「オーディエンスが新たな音楽を発見する媒介になること」という第二のミッションは、前者が有機的に実現する。

自身も音楽家として活動してきたパオラが、ファウンダーで作曲家で弁護士のケヴィン・ドーランに誘われてプロジェクトに参加した最大の理由は、非営利のハコを作るというビジョンだった。

「自分の20代を振り返ると、創作のアイデアは豊富にあったけれど、なかったのは録音する時間、場所、資金、オーディエンスといったサポートのシステムでした。それをアーティストたちに提供するインフラとして存在することが『ナショナル・ソーダスト』のミッションです。アーティストを支援するためには、利益を追求することは足かせになる。非営利であることが前提条件だと考えています」

規模は小さいように見えて、インパクトの大きな試みもある。ウィリアムズバーグとグリーンポイントが接するエリアの小さな三角地帯にコンテナと席を置いただけの「ザ・ロット・レディオ」は、物理的な空間とオンラインの活動が補強し合うインターネットラジオだ。コンテナがスタジオになっていて、日替わりでＤＪがそのセットを配信するというやり方で、日に8番組、週に50番組前後を放送している。出演するＤＪとはお金のやりとりはない。「ザ・ロット・レディオ」がアクセスできる世界的なオーディエンスへの露出と、出演することで提供される音源とのバーターで運営されている。

この仕組みを考えたのはファウンダーのフランソワ・ヴァクセレアだ。ベルギー出身で、写真家として働きながらニューヨークに暮らしていたが、どんどん高級化する街に限界を感じていたとき、日常的に通りかかっていた空き地に貸し物件の看板が出ているのを見つけて、プロジェクトの構想を思いついた。

45年間放置されていたというわずか80平米ほどの小さな更地は、家賃は安いが、それでも人件費や維持費を捻出しなければならない。コンテナの半分を小さなスタンドにして、コーヒーやお茶、ワイン、ペイストリーを出すことにした。コーヒーの売上を確保するために、値段は近隣の屋根のある店より少し安めに設定している。

既存のインターネットラジオと「ザ・ロット・レディオ」が違う点がふたつある。まず、番組は必ずライブであること。事前録音はしないし、原則的には他の場所からの中継もしない。もうひとつは、物理的な空間の重要性だ。更地にコンテ

「ザ・ロット・レディオ」のコンテナ。80平米の小さなスペースが、広い世界に通じている。

ナを置いただけのミニマルな空間は、クラブミュージックを愛するＤＪやファンたちがカジュアルに集える場所を欲していたことを証明した。潤沢な資金なしには文化的な場所を維持しにくくなったニューヨークで、「ザ・ロット・レディオ」は、コミュニティに支持されれば大きな利益を上げなくてもインディペンデントに存在し続けることができる、というメッセージを体現している。

「不動産がこれだけ高いニューヨークでも、ブランドなどの助けを借りずに、文化的に意義のあるプロジェクトを独り立ちさせることが可能だって証明したんだ」（フランソワ）

独立した文化を守ろうとする空間が近年こうして変容しているのを見ると、いくつかの共通項が浮かび上がる。各自の工夫によって、文化的な独立性と事業を続けるための財源を確保していること、学びや出会い、発表の場の提供を通じて、地域コミュニティや表現者といったステイクホルダーを支援すること——もともと地域振興や芸術家支援の側面の強い文化機関においても、ステイクホルダーをさらに重視する傾向が進んでいるのかもしれない。

大企業とインディペンデントのいい関係

２０１７年に、「ザ・ロット・レディオ」のすぐそば、これまで工場やアートスタジオが立ち並び、ほとんど開発されてこなかった地域に「A/D/O」という複合施設がオープンした。カフェがあってキッチンがあり、多くの人がラップトップで作業や打ち合わせをする姿が目に入ってくる。壁にはアート作品が飾られ、併設されたギフトショップがあって、奥には共同スタジオとアクセラレーター（起業を支援する投資プログラム）がある。よくよく見ると、ほとんど人の気づかない大きさで自動車メーカー「ＭＩＮＩ」のロゴが入っていた。

１９５９年に最初のＭＩＮＩをデザインしたチームのコードネーム「Amalgamated Drawing Office（融合されたドローイングオフィス）」にちなんで命名された「A/D/O」がオープンしたとき、地域のコミュニティはずいぶんと懐疑的だった。コペンハーゲンの世界的なレストラン「ノーマ」のチームを迎えて、ストリートの名前から「ノーマン」と命名されたレストランが鳴り物入りで開店したことも、地元民としては喜ぶべきなのかどうか、複雑な気持ちで受け止めた。MINIのスペースだと聞いて、いよいよ自分の暮らす街が企業のブランディングに使われるようになったのか、と思わなくもなかった。

ところが、知人のプロデューサーから招待を受けて訪れた開業イベントは、「ユートピアとディストピア」を題材にしたシンポジウムで、気候危機時代の都市生活にまつわる問題やその解決について忌憚（きたん）のない議論が展開されていた。MINIの宣伝色は薄く、併設のスタジオスペースには、この地を拠点に活動するアーティストたちが自分の机を与えられたりしていた。

このスペースの運営を任されたのは、ディレクターのネイト・ピンスレイだった。マッキンゼー勤務を経て、非営利団体や基金などと組んで具体的な社会改革をもたらすことを目的とするインキュベーター「パーポス」に参加し、企業内の変革の道筋を立てる専門家として、MINIにこのプロジェクトの原型を提案したところ、これが採用されてプロジェクトが実現した。スペースの準備期間中に、周辺地域で活動するクリエイティブ層に時間をかけてアウトリーチ（働きかけ）を行ない、地域のコミュニティを支援したいという意図を伝えてまわったという。

オープンしたスペースには3Dプリンターなど最新ツールを備えた共同スタジオ(一般的な「コワーキング」とは区別された)があって、審査を経て選ばれたアーティストやデザイナーが入居した。家賃は近隣の共同スペースよりも低く設定され、厳しい審査を経てアクセラレーターに入居を許可されたスタートアップには、MINIチームの指導や知識のリソース、ときには資金が与えられた。ギフトショップには入居するアーティストたちの作品が売られていて、共用空間では定期的にアート展が開催された。研究者やビジョナリーを招聘した不定期のワークショップやカンファレンスも頻繁に開かれるようになった。

「A/D/O」のカフェはPCを広げて仕事をしたりする多様な人々でにぎわっていた。

ＭＩＮＩがこうしたスタジオを構えるモチベーションは、とネイトに尋ねると、自動車メーカーから都会人の生活を支えるライフスタイルブランドへと脱皮しようとする過程で「価値を創出すること、そして、ステイクホルダーに利益を提供すること」という答えが返ってきた。けれど、それだけではない。創作や学びをサポートすることで地域住民や周辺コミュニティの愛着を獲得し、インディペンデントの各分野でトップを走る人材に優先的にアクセスするという旨味もある。

「ＭＩＮＩのコミュニティは都市部に住むクリエイティブ層だ。大企業が上から一方的にアイデアを授けるのではなく、一緒に未来を考えるブランドでありたい。未来はどうなっていくのか、都会の暮らしはどう変わるのか、共同の空間はどう変貌していくのか、それらを一緒に想像する存在として。旧時代には、イノベーションは鍵のかかった部屋で秘密裏に行なわれた。けれど僕らは、自分たちの客になる人たちと一緒に開発したいと思っている」（ネイト）

マネタイズの手段は、夜間はフルサービスのレストランになるカフェの売上、イベントのチケット収入、プライベートイベントへの貸し出し、共同スペースの家賃など。狭義での「利益」は追求しないけれど、ハコとしての持続性は重視する、とネイトは話してくれた。いっときはクリエイティブな人々の多く出入りする活気あるスペースだった「A/D/O」だが、レストランを改装したタイミングで新型コロナウイルス感染拡大防止のためのロックダウンが始まった。しばらくはオンラインで講義やイベントを継続していたが、結局2020年の夏の初頭にはスペースの閉鎖を発表した。

大企業を嫌う気質を持った地域のど真ん中に進出し、前例のない試みとともに地元の信頼を勝ち得た「A/D/O」は志半ば（こころざし）でその扉を閉じることにはなったけれど、コミュニティにおける大企業とインディペンデントとの関係について新たな可能性を示したことは間違いない。

企業の傘下に入るか、小規模を守るか

『ヒップな生活革命』で紹介したように、2010年代には食やライフスタイルの分野でインディペンデントの作り手やブランドがたくさん登場したが、彼らの「その後」の内容も多岐にわたる。

ニューヨークを拠点に天然素材だけで作るケチャップで人気を博した「サー・ケンジントン」が、2017年にユニリーバグループに買収され、その数カ月後、サード・ウェーブ・コーヒーという文化の先駆けとなった「ブルーボトル・コーヒー」がネスレに買収された。2017年には、斧から始まったキャンプグッズのブランド「ベスト・メイド」が、サステイナブルな素材開発のスタートアップ「ボルト・スレッズ」に買収された。

こうした買収は、少量生産文化に付帯するようになった金銭的価値を、大企業やベンチャーキャピタリストたちが認めるようになったことの現れでもある。インディペンデントな企業を傘下に取り込むことで、自らの企業イメージを向上させることができるし、少量生産のものを好む洗練された消費者たちにリーチすることもできる。長い時間をかけて商品やブランドの開発に投資するより、ブランドをまるごと購入したほうが早いというわけだ。

かつて「大企業に買収される」といえば、裏切り者というネガティブなニュアンスを持つ「セルアウト」という言葉で表現される時代があった。こんな買収のニュースが世の中を駆けめぐると、必ずや地元のコミュニティや古いファンたちのがっかりする声が聞こえてくるものだ。けれど、インディペンデントを貫くことがますます難しい時代に入って、事はそれほどシンプルではなくなってもいた。

「サー・ケンジントン」ファウンダーのスコット・ノートンに、ユニリーバ傘下に入る決断をした事情を聞くと、こう返ってきた。

「僕らにとっては、自分たちの商品が与えられる影響を拡大することが大切だった。小さなブランドが大手のスーパーに商品を売り込むには、時間もエネルギーもかかる。ユニリーバはすでに多くの商品やブランドのポートフォリオを持っていて、営業のシステムがある。そこにアクセスできれば、僕らは良い商品を作ることに集中できる」

さいわいにも、過去にユニリーバに買収されながら今も独自の路線を歩み続ける「ベン&ジェリーズ」という前例があった。1978年、バーモント州に街のアイスクリームショップとして生まれたベン&ジェリーズは、2000年にユニリーバの傘下に入った。だからといってブランドの方向性が変わったわけではない。それどころか、創業者のベンとジェリーが退いてからも、ベン&ジェリーズを担当したユニリーバの役員がCEOに就任し、2001年という早い段階からエコパッケージに投資を始めたり、遺伝子組み換え素材を使わないことにコミットしたりして、アメリカのプログレッシブ企業の代表格として創業者の価値観を社会に発信し続けている。2005年のアースデイには、アラスカの石油発掘を許可する法案に抗議して、アメリカ合衆国議会議事堂の前に巨大なアイスクリームそのものを置くなど、環境アクティビズムをリードしてきたし、2020年のブラック・ライブズ・マター運動の際には、アメリカの警察システムにおける白人至上主義をいち早く指摘して、その撲滅を目的としたコンテンツづくりを開始した。極右の武装勢力や白人至上主義組織のアカウント、フェイクニュースを取り締まらないことを非難されていたフェイスブックに対策を求めるための広告出稿停止キャンペーン「ストップ・ヘイト・フォー・プロフィット（#StopHateForProfit：利益のためのヘイトを止めよう）」にも率先して参加した。

安定した資金力やインフラを提供しながら、子会社が発してきたメッセージを検閲せずに、価値観を尊重する——そういう意味では、インディペンデントのメーカーにとって、ユニリーバのような企業は親会社として理想的な存在である。「サー・ケンジントン」は以後着々と商品の数を増やし、スコットは今もその陣頭指揮を執っている。2019年にはサンドイッチ愛をテーマにした宣伝色のない雑誌を発刊したが、こうした活動に着手できるようになったのも、大企業の傘下に入ることでビジネスが安定したからだ。「ブルーボトル・コーヒー」も買収以降は店舗数を増やし続けながら、より細分化されたメニューを実現し、スペシャリティコーヒーの究極を目指す道を突き進んでいるように見える。

もちろん、すべての買収が成功に終わるとはかぎらない。親会社による財務管理が厳しくなることで商品のクオリティが落ちたり、買収自体がうまくいかずブランドが再び売りに出されたりすることもある。２０１７年に「ボルト・スレッズ」に買収された「ベスト・メイド」は、ロックダウンの初期に別の企業の手に渡ることになった。

大手の傘下に入ることで生産以外の雑多な業務から解放される、より大きな市場にリーチできる、というプラスはあるが、それと引き換えに、親会社の状況に影響されるリスクが発生する。だからこそ、「小規模を守る」ことを存在意義とする組織やブランドもある。たとえば、クラウドファンディングの草分けとなった「キックスターター」は２０１７年に、会社の規模拡大を追求しないこと、買収されないこと、株式公開（ＩＰＯ）しないことをわざわざ発表した。

２０１５年にBコーポレーションに組織改編していた同社は、半永久的にインディペンデントな組織であり続けると宣言したのだった。

テクニカル素材を使った街着のブランドとして「ベスト・メイド」と同じ頃に創業したブルックリンの「アウトライヤー」も、事業拡大よりも独立した存在として続けることを優先すると明言している。ひとつの商品を最低限のロットで生産して、できただけの商品を売る。その結果、人気の商品は入荷から短期間で売り切れて、ファンの「欲しい」という欲望が煽られる。いたずらに成長を目指さずとも、この方程式を維持すれば売上予測が容易になり、在庫のリスクも抑えられる。この慎重な駒の進め方が功を奏して、組織としての規模感が格段に大きくなったわけではないが、「アウトライヤー」はいま独自の素材開発もできる程度の体力をつけている。

事業を広げることで社会的インパクトの最大化を目指すのか、それとも独立性を優先して小さな規模を守るのか、どちらが正しいということではないが、時代の流れや社会的条件が変わるのとともに、インディペンデントな文化が存続していくための方法論もまた変容し続けるのだろう。

循環する街の限界

ニューヨークは「cyclical（循環的）」な街だと言われる。常に膨大な量の資本が循環している。何かが廃れれば、また新しい何かが登場する。時代に訴求せずに失われていくものもあれば、住民たちの愛を受けながらも、資本主義のいけにえとして殺されていく店もある。

私が暮らしてきた20年以上の月日のあいだに、ニューヨークはどんどんリッチな場所になった。家賃が上がり、物価が上がって、たくさんの人や店が弾き出される現象は、リーマン・ショックの余波が落ち着いたあともずっと続いてきた。それでも人口の流入は止まらず、住宅不足が深刻になった。再開発やジェントリフィケーションによる人の移動によって、ニューヨーク市は拡張の一途をたどっていった。ブルックリンがブランド化して、「少量生産の製造業」や「アルティザンの食」がもてはやされたことは、街にたくさんの資本や恩恵をもたらしたけれど、人々の暮らしぶりがよくなったようには思えなかった。

「何のために？」

この10年ほどのあいだ、ニューヨークを出ていく友人たちの口から何度も発されるのを耳にした言葉だ。高い家賃を払って、高い物価に耐え、何のためにこの地で暮らしているのか。とどまるところを知らないインフレは、いつか終わるのか。何度も繰り返されてきた会話の背景には、「このシステムはサステイナブルではない。自分の生活もサステイナブルではない」という共通認識があった。私も、「いつまでこの地で暮らせるのか、暮らしていきたいのか」と常に自分に問いかけ続けた。

そうするあいだに、ニューヨークで事業を成立させ、かつコミュニティと共存するための、たくさんのアイデアや工夫が登場した。昼間は共同キッチンだったのが夜になるとイベントスペースになったり、若手の不動産業者が事務所をギャラリーにしたりと、複数の目的を併存させて空間を最大限に使う手法が珍しくなくなった。さすがニューヨーカー、いろんなことを考えるなあ、と感嘆することも多かったけれど、そういうアイデアがすべて生き残るともかぎらなかった。

明るい材料といえば、トランプが大統領になったのを契機に、コミュニティ活動に新しい風が吹いたことだ。夫のレストランで食肉になる動物の皮をなめして革製品にしていた「マーロウ・グッズ」のケイト・フーリングは、「物を売り続けることが時代にそぐわなくなった」と、トランプ政権誕生をきっかけに店を畳んで、その代わりに、料金を払えない人もウェルカムのコミュニティスペースを開いた。ジェントリフィケーションが進んで物価が上がったベッドスタイ地区に、客が自分の払える額で支払いを決めてもいい「ペイ・アズ・ユー・キャン」方式を導入したヴィーガン・レストラン「ソル・シップ」が登場した。資本主義の限界を見据えてオルタナティブな方法論を模索する会話が、街のあらゆる場所で進行しているようだった。

そしてこの間、ニューヨークは常にアクティビズムの戦場だった。グリーンポイントでは、自転車レーンの整備やレジ袋の廃止、パイプライン計画に反対する運動が目に見えるかたちで活発に行なわれていた。長らく議席に座ってきたベテラン議員たちが率いる市や州の政治の世界で、ミレニアルが挑戦を仕掛け、具体的な成果を引き出し始めてもいた。

とはいえ、先行きは明るくなかった。どんどん新しいビルが建つわりには、ミドルクラスや労働者階級の手が届く価格帯の住宅は恒常的に不足し、２０１９年にはホームレス人口が

7万8000人にまで増えた【★24】。株式市場は実体経済から断絶したまま「成長」を続ける一方で、ファッションの世界では小売システムの崩壊する可能性が囁かれ、メディア業界にはリストラの嵐が吹き荒れていた。世界でいちばんリッチな国の、いちばんリッチな都市は、沸点を迎えようとしていた。

★24 HUD, "2019 AHAR: Part 1 - PIT Estimates of Homelessness in the U.S.," Jan. 2020

03

コロナが前進させた社会のシフト

富の規模も格差も世界有数のニューヨークに新型コロナウイルスがやって来て可視化されたのは、水面下でふつふつと静かに煮えたぎっていた、たくさんの問題だった。未曾有のクライシスが引き金となって起きた文化のシフトを振り返る。

COVID-19がやって来た

2017年から2019年までの3年間を、私はアメリカと日本のあいだをほぼ隔月か数カ月おきの頻度で行き来して過ごしていた。日本での仕事が増えたのもあるし、書いて出版した本を持って旅をし、そのついでに行った先々の街を観察したり取材したりする、という作業に夢中になったのもある。興味の対象は、タイのストリートカルチャーや沖縄のものづくり、香港の民主化運動、世界各地のカンナビス合法化まで際限なく広がり、その間、ニューヨークへの愛は変わらなかったけれど、ニューヨークで過ごす時間はかつての半分以下になっていた。

2020年を迎えた1月、中国の武漢で新たなウイルスが爆発的に広まったことを知った。月末からの1カ月強を日本で過ごし、日本にも上陸した新型コロナウイルスの波及をすり抜けるようにして国内を旅しているあいだに、少しずつ国境封鎖と渡航規制が始まった。台北とバンコクへの旅をキャンセルして、3月上旬にニューヨークに戻ってきた。

予想以上に通常運転のニューヨークに驚いていたのも束の間、あれよあれよというちにウイルスはパンデミック（感染症の世界的大流行）に成長した。ニューヨーク市から出されたゆるやかな外出自粛要請がなかなか浸透しないまま約2週間が経ったところで、「エッセンシャル・ワーカー」の勤務と、食料品の買い出しやボランティア活動以外の外出を実質的に禁じる「ロックダウン（都市封鎖）」が開始された。その頃私は、市から北へ車で1時間ほどの森林地帯に借りている、小さな家にいた。この10年ほど、長旅の疲れを癒やしたり、長い原稿を書いたりするために借りてきた家だ。日本から戻ったタイミングでそこを訪れたままロックダウンが始まって、すべての予定がキャンセルになったため、急遽、山の中の小さな家にほぼフルタイムで暮らすことになった。

このときの不安と恐怖は今でもクリアに思い出すことができる。山にいても、アメリカでは主に「COVID-19」と呼ばれたウイルスの拡散によって、人口密度の高いニューヨーク市全体があっという間にクラスター化して危機的状況に陥った様子は手に取るようにわかった。グローバリゼーションの進行とともに誰にも止められない勢いで加速していた国際的な人の移動が、ある日突然ほとんど停止し、物流が遮断された。国境を越え、人と場所を選ばずに恐ろしい勢いで広がるパンデミックを食い止めるために、社会全体が「これまでのやり方」をとりあえずは一度お休みすることになった。一般市民から政治家までが、当面の旅の予定をキャンセルした。企業はオフィスを閉鎖し、医療、農業、輸送や流通、食料品や医薬品の小売の仕事などに従事する「エッセンシャル・ワーカー」以外の労働者は基本的に、しばらくのあいだ、食料や生活必需品を買う、散歩するといったとき以外は家に籠城することになった。それ以外の行為は、買い物からアートの取引、ビジネスのミーティングや学校の授業、テレビの収録までもが、人々の家の中に場を移し、世の中の商業活動の大半は一時的にせよ全面的にオンラインに移行した。当初はそれなりに混乱や情報の錯綜もあったとはいえ、コロナウイルスが引き起こしたロックダウンが証明したのは、世の中の多くの人々が驚くほどの強靭性と柔軟性を持っているということだった。

もうひとつ感嘆したのは、ロックダウン当初「重篤化のリスクがいちばん高い」と言われたシニアたちを守るために、そのリスクの低い若者たちが地域の互助組織を素早く立ち上げたことだ。食料品を届けたり買い物を代行したりする彼らの活動は、コロナ対策で余力を失った行政の穴を埋めていった。

都会の人々は、街に鳥が戻ってきた、動物の姿が見られるようになった、空気がきれいになった、と地球が一息入れられる時間を得たことを喜んだ。これまでのライフスタイルを振り返り、人生をスローダウンするきっかけを得られたこと、日々仕事に出てくれる人たちのおかげで生活が

Photo by Naoko Maeda

2020年4月、ロックダウン下のウィリアムズバーグにて。写真家の自宅窓から撮影。

維持できることに感謝する声がソーシャルメディアにあふれた。最初の数カ月間はコロナウイルス感染者数の推移を表すカーブを平面化することが共通目標となって、「We are in this together」というスローガンのもと、社会全体に団結するムードが漂った。

政府や国際機関からの情報が交錯するなか、オンライン上に数々の情報共有グループができた。世界が変わってもこれまで同様に大切な人とのつながりを維持するために、オンラインでのパーティや飲み会が行なわれるようになった。インスタグラムライブを使ったトークやDJセット、バーチャルフェスなど、自宅にいながらにして人との接触を持ったり、自分が愛するライブハウスを支援したり、または遠くの国で開催されるイベントにPCのスクリーンから参加できるようになったりもした。

同時に、外の世界では壮絶なクライシスが進行していた。キャパシティオーバーで運営する病院、運び出され続ける死体、鳴り響くサイレン、医療関係者たちの悲痛な声——ロックダウン初期の頃から特に叫ばれたのは、セルフケアの重要性である。壮絶な状況、どこにも出かけられないストレス、自宅での育児と仕事の両立などが積み重なって精神の不安定要素が増えるなか、身近な人と声をかけ合い、サポートし合うことの重要性が喚起された。メンタルヘルスのアプリやサービスが一般または医療従事者向けに、行政の支援を受けて無料で公開された。

初期に起きたこうした都会の団結はあまねく全米には伝播せず、アメリカは断絶を深めることになった。ニューヨークやカリフォルニアなど、最初に感染が広がった都市を持つ州は早々にロックダウンに踏み切ったが、それでもいっときは危機的状況に陥り、多数の市民を失うことになった。トランプ大統領と共和党の州知事たちは、長期にわたり経済を止めることを渋ってコロナウイルスの脅威を否定し、感染のさらなる拡大を許した。就任以来、株式市場が堅調だったことを材料に「好景気を達成した」と主張し、それを再戦に向けた最大のアピールにしてきたからだ。トランプ大統領が経済を重視してウイルス対策をおろそかにし続けるなか、ニュースで繰り返し流れる医療の逼迫を目の当たりにしたアメリカ国民の世論に大きなシフトが起きた。それは、近現代の大統領選挙において常に最大の争点として君臨してきた「経済」を、「人命を救うこと」の重要性が抜くという、アメリカ史上まれに見る事態だった。

このメンタルシフトは私の周りでも起きた。ロックダウンをきっかけに、一時的あるいは恒久的に事業を畳む人、リストラをきっかけにこれまでやってきた副業を本業にすることにした人、ジムが閉鎖になって独立したインストラクター、ずっとやりたいと願っていた農業を学ぶために農場に住み込んだ人、都会と田舎の二拠点生活からフルタイムの田舎暮らしにシフトした人――危機によって突然与えられた時間のおかげで、それぞれが「これまでの生き方」をあらためて見つめ直し、次のフェーズに踏み出すチャンスを与えられたようだった。

ロックダウン下の食料調達

全米で徐々にロックダウンが始まった3月下旬以降、街のスーパーマーケットには長い行列ができた。人同士の間隔を6フィート（約2メートル）以上開ける「ソーシャル・ディスタンシング」を敢行しながら、収容人数を通常の半分以下に減らしての営業が命じられたため、中に入るのに何時間もかかることもあった。「インスタカート」や「フレッシュダイレクト」などの生鮮食品を配送するオンラインのスタートアップも、アマゾンが２０１７年に買収してオンライン営業を始めていた食料品スーパーの「ホールフーズ・マーケット」も、瞬時にパンク状態になった。

各地のスーパーでは乾物類や缶詰、冷凍食品などが買い占められて棚が空になった。食の流通が不安定になるなか頼りになったのは、個人商店だった。小規模の個人経営店は、デリバリーやピックアップを駆使して安定的に商品を提供し続けた。コロナウイルスと共存する生活が長期化すると、これまでは定額の料金を支払うことで農場の財政に貢献できる支援法として理解されてきたＣＳＡ（コミュニティ・サポーテッド・アグリカルチャー）が、その時々に穫れる旬の食材を確保する方法になった。農業が盛んな地域にいた私は、生鮮食品は近所の農場やファーマーズ・マーケットから調達し、その他の乾物類や調味料、缶詰などは確実に入手するために、オンライン業者を吟味した。自分の出費の一部をコロナウイルスによる身体的・金銭的影響を受けた家庭に食材を届ける基金に寄付できる会員制ネットストスーパー「スライブ・マーケット」のメンバーシップを購入した。メーカーの倫理性や持続性の観点から商品を厳選していて、包装材や食材の栽培法などの情報が細かく開示されているのも魅力だった。空前のベイキング（パンやお菓子づくり）

ブームが起きて小麦粉が手に入らなかったときは、友人・知人間で在庫を持つ業者の情報が交換され、オンラインの掲示板で食材の物々交換が行なわれていた。

当初はいちばん近い街の数少ないレストランも営業を停止していたこともあって、生まれて初めて1日3度の食事を欠かさず自炊することになった。それまで「食べる」という行為をどれだけアウトソーシングしてきたのかに気がついて、愕然とした。

自炊生活は楽しかったけれど、料理の腕はもとより、食材確保の観点からも、レストランの素晴らしさを実感することになった。当たり前だけれど、たとえば魚や少し珍しい野菜など、個人で調達できる食材には限りがあった。一方、これまでのように営業できなくなったレストランは事業の方向を変えていった。テイクアウトのみの営業に切り替えて普段よりも大幅に下がった売上を積み上げながら営業を続けた店、完全にボランティアにまわって医療関係者に食事を提供した店、業務にCSAのような食材提供を加えた店、食材とレシピをセットにして販売した店、完全に閉業した店……。バーが一時的に酒屋としての機能を始め、高級レストランがスーパーでは手に入らない高級食材や出来合いの食事セットを提供するようになった。街に降りるチャンスがりした。

あるたびに好きな店に立ち寄り、そうしたワインのセットを購入したり、食事セットを注文した

外食産業の事業規模が一時的に大幅縮小したことで、行き場をなくした食料が大量に廃棄される状況にもなった。その過程で、西海岸の「インパーフェクト・フーズ」、東海岸の「ミスフィッツ・マーケット」など、形の悪い農作物をはじめ余剰食材を販売するスタートアップに注目が集まった。私も試してみたが、賞味期限が近かったり傷があったりするだけで問題のない商品が、20〜30%引きで買える。なにより、無駄や廃棄をなくすことに貢献できるという点が気に入った。

廃棄された食料の中でも、多くの人が心を痛めたのは動物の殺処分である。タイソン・フーズなどの食品大手が運営し全米に流通経路を持つ食肉加工工場が次々とクラスター化して営業停止に追い込まれたことから、行き場を失った豚が大量に屠殺され、廃棄された。規模は違えども、鶏や牛にも似たようなことが起きた。サプライチェーン（製品供給網）が不安定になり、食肉の価格が上がったり、加工肉がスーパーから姿を消したりした。

一方、食肉売場の隙間を埋めたのは、環境への負担が大きく、生活習慣病の原因にもなってい

る肉のオルタナティブとしてこの数年注目されてきた、フェイクミート（大豆や穀物、野菜などから作る肉の代替食品）だった。食肉の供給が不安定になるのと反比例して、市場シェアを確実に拡大した。

書き換えられるサプライチェーン

自分の仕事の周囲で新型コロナウイルスの影響を最初に垣間見たのは、2020年2月のことだった。まずはファッション業界から「中国からのサンプルが届かない」という声を、そのあとは他の業界からも、部品が手に入らないという話を聞くようになった。ロックダウン下で感染者が急激に増えるにつれて、「中国からの物資が届かない」は「医療関係者の着用するマスクや防護服を確保できない」という事態に変わっていった。

その際に素早く立ち上がったのは、アメリカ国内に生産の拠点を持つアパレルの工場だった。

独自でマスクの生産を始めたところもあれば、行政機関と連携したメーカーもあった。行政が埋められなかった穴を民間の団体が埋める動きも生じた。たとえば、デザイナーと素材提供業者、工場をマッチングするシステムをオンライン上に構築することで仲介業者を減らし、透明性を向上させる目的で2018年にニューヨークに生まれた「ザ・ワールドワイド・サプライチェーン・フェデレーション」や、東日本大震災のためのチャリティ団体として設立された「ファッション・ガールズ・フォー・ヒューマニティ」などが、アパレル業界から前線に必要な物資を届けるシステムを構築した。

当然、流通網の書き換えを強いられたのは医療物資の世界だけではない。アパレルから自動車まで、製造業の世界全般において、パンデミックの動向に影響を受けつつも物資と製造拠点を確保するための努力が続けられた。

もちろん消費者たちも流通網遮断のインパクトを体感した。ロックダウン下ではエッセンシャルな物資の配送が優先されたため、消費者の手元に届く商品も一気に限られることになった。マスク、トイレットペーパー、そして引きこもり生活に必要な物を買い揃えようとする人たちの需要が集中して、アマゾンを筆頭にオンラインの小売業者はパンク状態になり、注文した商品が届くのに何日もかかるという状況も生まれた。初期のパニックが収まってからも、配送の遮断や人材不足が重なって、物を手に入れるということが当たり前でない状態が続いた。今までいつだって当たり前に店に並んでいた物が、突然手に入らなくなる――そんな目の前の景色は、グローバリゼーション時代に複雑化したサプライチェーンの不安定さを露呈していた。

こうしたときに底力を発揮したのは、「イーベイ」や「エッツィ」といったユーザー主導のマーケットプレイスだった。世の中の流通から消え去った商品を、オンラインの個人商店の在庫に発見することもあった。DIY製品に特化したマーケットプレイスとして生まれながら工場生産の商品にも門戸を開いたことで輝きを失い、ここ数年は悪いニュース続きだった「エッツィ」は、コロナ時代に入って新しいポジションを獲得した。ロックダウン生活の中で手芸・裁縫やDIYを実践しようとした人たちに道具を提供し、マスク不足の際には巨大な手作りマスクショップと化したのだった。

非常事態が次第に正常化し、「ニューノーマル」が長引くにつれて国際間の物流も再開され、現時点でサプライチェーンはある程度は安定化してきてはいるが、製造業界では新たな現実に合わせてインフラの再構築が進められている。調査会社のガートナーが２０２０年6月に発表した北南米の企業２６０社に対する調査によると、世界規模のサプライチェーンを持つ回答企業の33％がコロナ禍以降、これまで中国で行なってきた素材調達や生産を他の場所に移す措置をすでに取っていたり、遅くとも２０２３年までには移す計画を進めたりしていることがわかった。また25％が、生産場所と販売場所との距離を縮めるべきだと考えていることも明らかになった[★25]。

進退を繰り返すパンデミックのさなか、地域的なクラスターが発生し、工場が一時的に閉鎖される、という事態はまだ断続的に続いている。サプライチェーンの書き換えはいまも忙しく進行しているようだ。生産拠点を中国に戻したり、国内の生産にこだわるブランドが一時的に海外の工場に助けを求めたり、ということも起きた。こうしたことが長期的に見て物の流れにどう影響を及ぼすのかは、これから明らかになっていくだろう。

★25 Gartner, "Gartner Survey Reveals 33% of Supply Chain Leaders Moved Business Out of China or Plan to by 2023," June 2020

力を得る労働運動とステイクホルダー・キャピタリズム

コロナ禍は、流通や小売、公共交通機関、医療・介護や清掃などの分野で働く労働者を、感染のリスクを背負って社会に奉仕する「エッセンシャル・ワーカー」に変えた。「エッセンシャル」指定外の商業・勤労空間は閉鎖が義務付けられたニューヨークのロックダウンでは、企業労働者は自宅からの勤務（ワーク・フロム・ホーム）にシフトして、失業者には、州からの失業保険と連邦政府からの給付金が、また、急に収入が減った企業やフリーランサーには、別の補助金や収入補塡のローンが用意された。病院が戦場の様相を呈し、感染者と死者のカウントが増え続けるなか、家で労働を続けたり、失職しても補助を受けて自宅に引きこもれたりした人たちの手による、「エッセンシャル・ワーカー、ありがとう」のサインが街のいたるところに現れ、誰が始めたか、ニューヨークでは毎晩19時になると、窓を開けて拍手したり楽器の音をかき鳴らしたり、鍋や机を叩いたりして、勤務に出かけては帰宅する医療関係者に感謝と激励の意を表明するという儀式が日常のひとコマになった。

そういう状況から、１９６０年代以来見たことのないレベルの労働運動と、エッセンシャル・ワーカーの待遇改善を求める世論が吹き上がった。「パタゴニア」や、会員制の協同組合形式で運営されるアウトドアブランドの「ＲＥＩ」に代表されるようなプログレッシブ企業は、緊急事態下に店舗や倉庫で働くスタッフの安全をどう確保しているのかをソーシャルアカウントやメーリングリストを使って積極的に開示し、世の企業に同様の措置を取るように求めた。アマゾンやウォルマートなどロックダウン中も営業を続けた企業では、ウイルス対策の欠如や欠陥を指摘する社内からの告発が相次ぎ、それが消費者によるＳＮＳのキャンペーンに発展して企業は対策を講じざるをえなくなった。そうした労働運動を弾圧しようとして組合のリーダーを解雇したアマゾンは世論の厳しい非難を受けたが、多くの企業は、従業員を保護せよと唱える市民の声と労働運動に応えるかたちで、エッセンシャル・ワーカーとして働く人々の時給を一時的に上げる措置を取った。

労働運動がこれまでになく力を得た背景には、疾患や既往症のある人々が仕事に出られなくなったり、国境が閉鎖されて季節労働者の移動が不可能になったりしたために、労働人口の規模が縮小して売り手市場になったこと、また、日々の糧を得られなくなった人々があふれかえっているのに、営業を続けた企業が暴利を貪り、従業員に還元されない現状が可視化されたことなどがある。労働者のカードはかつてないほど大きなパワーを持ったのだ。

危機のなか、文字通り体を張って働きに出る看護士、薬剤師、鉄道職員、外食産業のサービス従事者といったエッセンシャル・ワーカーを中心に始まった組合運動は、社会の段階的な再開とともに、教育やメディアなどその他の業界にも飛び火し、どこかで組合を結成するかどうかが採択された、というニュースを日常的に耳にするようになった。

もちろん経営サイドからの抵抗は根強い。２０１９年にトランプに任命されるまで、企業弁護士として労働者の権利を弱体化する訴訟に関わってきたユージーン・スカリア労働長官は、パンデミックと不況に乗じて、勤務中あるいは勤務が原因で起きる事故や病気について企業の責任を問うオバマ時代の政策を静かに廃止したりしている。

進行し始めていたギグワーカーたちの保護運動も一気に加速した。「ウーバー」ドライバーたちによる労働争議が起きていたカリフォルニアでは、すでにギグワーカーを保護する策が講じられ始めていたが、その他の地域でも一気に議論が進み、ギグワーカーでも失業手当を受け取れたり病欠が認められたりする政策が新たに導入された。労働人口の大多数を占めるギグワーカーたちにセーフティネットを提供しなければ、経済全体に大きな負担がかかると予想されたからだ。さらに2020年11月の選挙に合わせて、同州ではフリーランスの運転手を従業員化するか否かが住民投票にかけられたが、こちらは可決には至らなかった。

労働者たちの保護を唱えるこうした論調は、従来の資本主義から、全ステイクホルダーを重視する「ステイクホルダー・キャピタリズム」へのシフトを求める議論をもさらに促進した。パンデミックという非常事態のもとで企業が事業を続けていくためには、ベンダーやサプライヤーとの連携、従業員や顧客を守るための安全対策は不可欠で、それが必然的にステイクホルダーすべてを守るよう促すのだ。たとえばパンデミックは、第1章で述べたビジネス・ラウンドテーブルが声明したシフトチェンジに署名した企業の本気度を試すテストにもなった。ステイクホルダーを守る存在になることを表明したはずのキャタピラーやリーバイスが、実際には配当金の支払いを優先して従業員のレイオフ（一時帰休）を敢行し、厳しく批判された。

こうした状況に業を煮やした金融業界の有志団体が、「ザ・テスト・オブ・コーポレート・パーパス（TCP）」というイニシアチブを組み、ロックダウン開始後のラウンドテーブル企業の「ステイクホルダー・キャピタリズム実施度」をテストした。結果、ほとんどの企業が進歩を見せていないことが明らかになった[★26]。

2020年9月には、企業がステイクホルダー・キャピタリズムにシフトするために足りないのは市場からのインセンティブだ、という考えのもとに、ロングターム証券取引所（LTSE）がオープンした。有名企業家のエリック・リースが、著書『リーン・スタートアップ』（邦訳は2012年、日経BP刊）の中で提案した自身のアイデアを実行に移したものだ。企業の利益を四半期ごとの短期の財務諸表で判断する持続性なき社会システムに替わる考え方として生まれたロングターミズム（長期主義）をベースに、長期的なバリューを創出できるかどうか、株主だけでなく従業員や顧客なども含むステイクホルダーを大切にしているか、といった評価軸に従って証券の価値が決まる証券取引所である。企業に長期的持続性を求める投資家と、長期的なビジョンを持つ企業とをマッチングすることで、社会全体に対して責任を負うことへのインセンティブを創出しようとしている。

ＬＴＳＥの世界観において、企業の存在意義は利益を出すことだけではない。具体的な社会課題の解決、つまり「パーパス（目的）」の達成を目指す企業のほうが組織として強く、長期的な成功を実現できると提唱する。プレジデントのミシェル・グリーンはこう語る。

「従業員が企業の目的やミッションを共有すればするほど、生産性が向上し、離職率が下がり、それがひいては利益の向上につながる。長期的な成功を確保するためには、企業の周りのコミュニティと良い関係を築いたほうがいいし、短期的な利益を要求する株主よりも、長期的なビジョンを共有してくれる投資家と組んだほうがいい。社会の中で明確な存在意義を持つ企業のほうが成功するのです」

★26 TCP, "COVID-19 and Inequality: A Test of Corporate Purpose," Sept. 2020

またミシェルは、企業の長期主義へのシフトを促しているのはミレニアルの従業員や消費者であり、企業に対する彼らの目線がコロナ禍においてますます厳しくなっていることを教えてくれた。こうした労働運動はその後も活発に続いている。緊急事態になってさえも変革へのフットワークが重い企業のトップと、声を上げ続ける従業員アクティビズムとの拮抗が、これからも企業のありようを動かしていくのだろう。

変容する「都市」

パンデミックによる経済的・医療的負荷をまず最初に受けたのは都市部だった。人口密度が高く他者との距離の近いニューヨークは、あっという間にホットスポットと化した。ロックダウンに入るやいなや、まずは富裕層が、そして在宅ワークにシフトした労働者たちを含む幅広い層が近郊に流出し、人口は地域によっては一時的に最大で40%減ったと推定されている。２０２０年

5月の調査では、期日通りに家賃を払えないと回答する住民の割合が24％を超え、6月以降は全米で住宅ローンの支払いが滞る家庭が66％を超えた[★27]。パンデミックと不景気にあってホームレス人口の増加を防ぐために、ニューヨーク州は今のところ住居からの立ち退きを棚上げにする「モラトリアム」政策を、少なくとも2021年1月までは続けることを決めている。

世の中の労働者の大半が在宅勤務するという状況は、業界や業種によってばらつきはありつつも、オフィス労働の大部分はリモート化が可能だということを証明した。建設したばかりの本部をフェイスブックに売却したREIや、フルタイムのオフィス制には戻らないことを発表したツイッターのように、早々にこれまでのオフィス業務形態からの恒久的脱却を決めた企業も少なくない。外食産業やエンターテインメント業界、小売店舗など、商業スペースのほとんどはその後も通常を大幅に下回るキャパシティで稼働しており、物理的オフィスや商業空間は縮小の方向に向かっている。

★27 Apartment List, "Missed Payments Stabilize In June - At Alarming Levels," June 2020

ロックダウンで真っ先に犠牲になったのは、ニューヨークという街を特別な場所にしてきた数々の文化活動だった。作品が見えなくなるほど大混雑するギャラリーのオープニングも、人の汗が飛び散るライブハウスやクラブも、人に顔を近づけなければ声が聞こえない喧騒に満ちたレストランやバーも、ウイルスの見地からいえばリスクの高い場所になってしまった。

なかでも、産業としての規模の大きいレストラン業界が受けた打撃は計り知れなかった。多くの店が対策に追われていたロックダウンの初期に、少なくとも当分のあいだは店を閉めるという決断をしたイーストビレッジの名店「プルーン」のオーナーシェフ、ガブリエル・ハミルトンがニューヨーク・タイムズ紙に寄せた文章が話題になった[★28]。

「ただでさえレストランの運営コストが長らく上昇してきたのに、今後どうやって営業を続けていくのか。それについての会話はもう何年も続いていた。未知の脆弱性をコロナウイルスが突然可視化したわけではないのだ」

このエッセイが指摘したように、たしかにニューヨークの外食産業の現状が持続性に欠けるものであるという議論は以前からなされていた。商業家賃や食材価格の上昇に加え、ニューヨーク州の最低賃金も上がったために人件費がさらに膨らみ、チップ制によるレストラン内での賃金格差も拡大するなど、条件はますます厳しくなっていた。そうしたつらい状況が続いていたところにパンデミックが起きて、店内営業ができなくなり、数カ月間はテイクアウトで持ちこたえた外食産業は、ようやく夏前から路上のテーブル営業を許可された。その後は店の多くがメニューを絞り、普段より少ないスタッフで、テイクアウトと限られた屋内外の席を回してなんとか切り盛りしている。外食業界団体の調査によると、2020年8月時点で、ニューヨークのレストランの9割以上が家賃を限定的にしか支払っていないか、またはまったく払っていないことがわかっている[★29]。今後、業界の規模縮小は必至である。

ライブハウスやコンサートホールの打撃もまた深刻だ。音楽を楽しむために人々が集う物理的な場所がパンデミック以降の世の中を生き延びることができるかどうかは、公共団体や行政によ

★28 The New York Times, "My Restaurant was My Life for 20 Years. Does the World Need It Anymore?," Apr. 23, 2020

★29 NYC Hospitality Alliance, "August Rent Report," Sept. 2020

る支援の有無にかかっているだろう。

今後ワクチンや治療法の開発によって現下の状況が変わったとしても、その後の未来を想像するのは難しい。再びパンデミックが起きる可能性があるとすれば（そしてそれはおそらくそうだろう）、より安全でソーシャル・ディスタンシングを管理しやすい、さらに広い空間を求めて、人や企業の都市離れが継続するかもしれない。少なくとも、これまで長く続いてきたジェントリフィケーションについにブレーキがかかったことは間違いない。この数十年間、家賃が上がり続けるのを目撃してきたニューヨーカーたちからは、「観光客と大企業から街を取り戻した」という安堵の声も聞こえる。トランプ大統領や大資本が推し進めてきた「好景気」は、コミュニティをサポートする存在ではなかったのだ。

パンデミックが起きて、多くの州や自治体が、賃料を払えない住民の立ち退きに対するモラトリアムを発効したが、立ち退きにはならないにしても、払えない賃料は借金になる。そこで登場したのが「キャンセル・レント」運動だ。テナントが賃料を支払わなければローンを払う大家が困るところだが、大家がローンを負う金融機関や投資家は保護されている。だからこそロックダウンから半年以上が経ったいまも、政府に介入を求める運動が根強く続いている。テナントたちが組合を結成し、入居するビル全体の家賃不払い運動をして値下げの交渉に成功するケースもあるし、ミネソタ州ミネアポリスでは、管理を怠ることで悪名高いビルのオーナーが違反を理由に建物の管理権を剝奪され、住民の組合が共同管理権と所有権を手にした、というサクセス・ストーリーも生まれている。一見ラディカルに見えるこうした住民運動は、社会全体の家賃に対する考え方を変えるには至っていないが、常にプログレッシブ運動の要求リストの中に入ってきた「労働者が安全に暮らす場所を確保できること」が、パンデミックのおかげで新たな重要性を持ったと言える。

ジェントリフィケーションが、一時的にせよ長期的にせよ、とりあえず一度は止まったとはいえ、人口の減少と経済活動の縮小によって、ニューヨークのような大都市が被る痛みは小さくない。とはいえ、この縮小局面は改革のチャンスでもある。ニューヨーク州のクオモ知事、ニューヨーク市のデブラシオ市長はこの機を利用して、化石燃料から再生可能エネルギーへのシフトを敢行することで新規の雇用を生み出す方針を打ち出している。コロナウイルスがもたらした危機によって、これまでプログレッシブたちが求めてきたグリーン・ニューディールの有効性と緊急性も高まっているのだろう。

コロナウイルスによる環境への作用

経済活動が止まるということは、それに伴う環境への負荷も減るということだ。ロックダウン当初は、空気がきれいになって普段は見えないヒマラヤ山脈が見えるようになった、ベネチアの運河の水が透明になった、動物たちが街に姿を現すようになった、といった報告が世界中から相次いだ。コロナウイルスによる被害の裏で、地球が産業革命以来初めての、束の間の休息を取るチャンスを与えられたわけだ。

経済活動の一時停止という「壮大な実験」は、経済活動と温室効果ガス排出との相関関係を示す貴重なデータを提供することになった。公共ラジオ局のＮＰＲが解析したアメリカ環境保護庁のデータによると、ロックダウンによって全米の交通量は約40%減少した。ところが、汚染物質でもあるオゾンの減少レベルは2015〜2019年の水準と比較して最大15%程度にしかならず、さらにその幅が少ない場所もあった。たとえば、国際的な港があって大量に貨物が運び込まれるロサンゼルスでは、住民による自動車の利用は減ったものの、ロックダウン中も運送や流通は稼働していたため大型トラックや船舶の交通量は減らず、大気汚染の減少幅も限定的だった。製油所や石油化学工場の多いテキサス州ヒューストン、火力発電所の多いペンシルバニア州ピッツバーグも同様だった[★30]。国際エネルギー機関（IEA）は2020年6月に、パンデミックが起きたことによる全世界の二酸化炭素排出量の減少（前年比）はこの1年間で8%程度になるとの見通しを発表した[★31]。

こうしたデータが示唆するのは、気温上昇を招く二酸化炭素排出を抑えるための経済活動縮小

★30 NPR, "Traffic Is Way Down Because Of Lockdown, But Air Pollution? Not So Much," May 2020
★31 IEA, "The impact of the Covid-19 crisis on clean energy progress," June 2020

という方策は、市民の負担が大きいわりには有効性が低いということだ。また、環境にいま最も大きな負担をかけているのは、稼働し続ける経済活動のインフラ自体であって、消費者が個々の努力を重ねたところで焼け石に水だということも示している。再生可能なクリーンエネルギーに移行して、温室効果ガス排出を大幅に減らすための抜本的なシステム改革を敢行しなければ、着実に進行する気温上昇を食い止めることはできないだろう。

コロナウイルスが間接的に作用して、環境をめぐる市民運動を勝利へと導きそうな展開もある。経済活動が止まるとエネルギー消費量も減少し、既存のエネルギー業界は空前の不景気に見舞われた。そのなかで、サウスダコタ州のネイティブ・アメリカンの居留区で長年の反対運動と法廷闘争を押し切って進められてきたキーストーンＸＬパイプラインの建設計画が、需要の激減によって必然性を失ったのである。この件は裁判所に再調査を命じられていまだに係争中ではあるけれど、建設再開の日を見ずに頓挫する確率が高くなっている。

環境に対するパンデミック最大の負荷は、人々の出すゴミの量の増加だろう。特に、物質の表面に付着するとされたウイルスの登場によって、マスクや消毒布をはじめテイクアウト用の食器まで、様々な使い捨て商品の廃棄量が一気に増えた。捨てられた消毒布が水路を詰まらせ、大量のマスクが海に浮かぶ様子も報告された。コロナに起因するゴミの増加は、パンデミック対策のコストと不況による減収で財政赤字に苦しむ自治体をすでに圧迫している。

人類がウイルスとの共存という新たな現実に直面しているあいだにも、気候変動は数々の天災をもたらしている。「ローラ」や「デルタ」といった南東からやって来た複数のハリケーンがアメリカ南部を浸水させ、西海岸では山火事が断続的に生じ、数十万人という人口が避難を強いられている。つい2年前の2018年に国連のレポートが「危機的状態」と警告していたことが、予測よりも早い速度で現実になり始めたのだろう。

コロナ禍に再燃した「ブラック・ライブズ・マター」

新型コロナウイルスはアメリカにやって来た当初、「グレート・イコライザー」と呼ばれた。

大富豪も貧乏人も同じように感染する、という点が着目されたからだ。けれど、そんな見立ては幻想だということがすぐにわかった。「エッセンシャル・ワーカー」として社会的インフラの末端で働く人たちの割合が特に、黒人やヒスパニックに偏っているからだ。そして、複数の世代が同じ居住空間を共有するという住環境に、心臓病や糖尿病を患う割合が高いということも手伝って、コロナウイルスによる死者が飛び抜けて多かったのは、黒人だった。さらに、経済活動の停止に伴う解雇やレイオフの対象に真っ先になったのも、黒人だった。こうしたことが理解され、議論されているさなかに、事件は起きた。

２０２０年5月25日、ミネソタ州ミネアポリスに住む黒人のジョージ・フロイドさんが警察に殺される瞬間の映像が拡散し、「ブラック・ライブズ・マター（#BlackLivesMatter：ＢＬＭ）」のムーブメントが一気に再燃した。日本語でどう訳すべきかをめぐっては諸論あるが、その本質は、黒人の命に意味があることをわざわざ宣言しなければならない不平等な状況にある。

発端は２０１２年、当時17歳だった黒人のトレイボン・マーティンさんが雨の中を徒歩で帰宅途中にフードを被っていたというただそれだけの理由で怪しまれ、自警団に属するジョージ・ジマーマンに銃殺された事件に遡る。ジマーマンの無罪判決をきっかけに生まれた「ブラック・ライブズ・マター」という言葉は、ムーブメントの創始者の一人となった活動家のアリシア・ガーザがフェイスブックにポストした文章に、パトリース・カラーズが返信する中に含めたハッシュタグで、その後、運動組織の名称にもなり、制度的レイシズムの撤廃や改革を求めるハッシュタグのキャンペーンとしても機能している。

ＢＬＭは生まれてから7年のあいだに、無数の黒人の死者を出し続ける警察の暴力に対する抗議運動へとシフトしていった。２０１４年には、ニューヨークのスタテンアイランドで法に反してタバコをバラ売りしていた疑いで逮捕される途中だったエリック・ガーナーさんが警官に首を締めつけられ死亡したが、その直前に「I can't breathe（息ができない）」と声を上げる映像が拡散されて、ＢＬＭは全米規模の運動に発展した。以来、数々の黒人が警察によって殺されるたびに抗議運動が起き、ムーブメントは、自治体レベルでの法改正を地道に積み上げながら、また、警察の不祥事を白日のもとにさらしながら、そして、やむことのない警察による暴力に耐えながら、根強い運動として続いていた。

白人の警官が、映像を撮られていることを知りながらきわめてカジュアルに、表情ひとつ変えずに、市民の首にひざをかける姿。「息ができない」と悲痛な声を漏らし、いまは亡き母に助けを求めたフロイドさんの肉体から命が去る瞬間。それを同時に捉えた映像は、あっという間にソーシャルメディアを通じて拡散され、現場のミネアポリスで始まった抗議運動は山火事のように全米に飛び火した。今回こそは何かが違う、すぐにそう思ったのは、どの抗議デモを見ても白人の姿が圧倒的に多かったからだ。

ＳＮＳのタイムラインをデモに集まる人々の写真が埋め尽くした。自分の店が略奪に遭った友

Photo by Alex Nawrocky

ジョージ・フロイドさんの殺害された日からニューヨークでも連日デモが行なわれた。写真はマンハッタン・ハーレムの教会前での集会の様子。

人の「自分の被害は、これまで黒人たちが置かれてきた苦境に比べたらたいしたことではない」という投稿、経営者の友人の「自分はこれまで一生懸命働いたから成功したのだと思ってきた。今回のＢＬＭで、白人だということに助けられてきたのだと初めて理解した」という文章を読みながら、歴史の１ページが新たにめくられるのを実感した。２０２０年６月の時点で、有権者のＢＬＭに対する支持は60％を超えた[★32]。

全米の都市で繰り広げられる抗議運動とともに、この国の黒人たちが置かれている状況や歴史的背景をあらためて理解しようという「再考（reckoning）」の動きが、メインストリームの世界を覆った。そもそもアメリカの警察は、１８６５年の奴隷制廃止以降も黒人を労働力として確保し続けるために彼らの行動を監視し、微罪であっても収監して労働させる、という意図のもとに作られた組織だった。１９７０年代から80年代にかけての都市部の人口減による治安の悪化と「ク

★32 Pew Research Center, "Amid Protests, Majorities Across Racial and Ethnic Groups Express Support for the Black Lives Matter Movement," June 2020

ラック・エピデミック」（アメリカの都市部で「クラック」というドラッグが蔓延した現象）がレーガン政権の「法と秩序」政策を導き、その結果、警察によるアグレッシブな取り締まりにつながった。さらにクリントン時代の１９９４年に通過した犯罪法案によって、軽罪の再犯やドラッグ関係の犯罪にすべからく厳罰が課されるようになり、大量投獄が起きた。刑務所は民営化され、特にターゲットにされた黒人が出たり入ったりを繰り返すサイクルができた。そのため警察は、黒人が集中的に住む地域を重点的に取り締まる傾向が強く、黒人たちは日常的な嫌がらせや暴力にさらされている。黒人は全米人口のわずか12％なのに、警察による死者の25％を占めている[★33]。警察に殺される確率は白人に比べて3倍以上高く、さらには教育、雇用、サービス、不動産の賃貸や購入といった、ありとあらゆる社会生活の局面で差別を受けていて、黒人の中でも特にトランスジェンダーは暴力の対象になりやすい——あとからあとから明らかになるこうした「不正」の数々に、白人たちがついに覚醒した。

ＢＬＭが要求するのは、一人ひとりの加害者に対する正当な法の裁きと警察改革、そして、社会のあらゆる場所に存在する差別の是正である。チョークホールド（ジョージ・フロイドさんに対して行なわれたような首の圧迫）などの危険な手の使用や警告なしの発砲の禁止、捜査や踏み込みの際に警察だと名乗ることの義務付け、警察による不祥事をめぐる情報の開示、警察予算の削減と教育や貧困対策への投資などを求める声は、多くの州や自治体において法改正や処罰の厳重化といった様々なかたちで実際に変革を引き起こしている。

圧倒的な世論の支持を受けて、これまでなかなか動かなかった山がついに動き始めた。コリン・キャパニックを排除したＮＦＬですら過去の無策を謝罪し（キャパニックには謝罪していないが）、ワシントンＤＣ都市圏を拠点とするレッドスキンズは、「赤い肌」を意味するその名前がネイティブ・アメリカンに対する侮辱だと長年批判されながら抵抗してきた改名をついに敢行し、「ワシントン・フットボール・チーム」を名乗ることになった。

それらと同時に進行したのは、黒人文化の祝福と学習である。黒人作家たちの作品がピックアップされ、コンテンツサイトには黒人の歴史を学ぶための映画や情報が並んだ。ブラックのコ

★33 Statistia, "Number of people shot to death by the police in the United States from 2017 to 2020, by race," Oct. 2020

ミュニティのために、白人やその他黒人以外の人種に何ができるのか、という議論も活発化した。黒人の歴史を学び直すこと、彼らの声に耳を傾けること、彼らの存在にスポットライトを当てること、そして彼らのメッセージを拡散すること。私もこの過程でたくさんの黒人の表現者、作り手、論客の存在を知った。疲れを知らないかのように毎日抗議活動に出ていくニューヨークの友人たちの姿に勇気を得た。これだけの白人たちが黒人のために立ち上がる姿を見たのは、初めてのことだった。

BLMと消費アクティビズム

2020年版のBLMに、プログレッシブ企業は素早く反応した。コーズ・マーケティングに強いナイキは、黒人以外の人種に向けて「背を向けるな」というメッセージを出し、ベン&ジェリーズは白人至上主義撲滅のイニシアチブを発表した。共通の合言葉は、ナイキがメッセージに取り込み、ベン&ジェリーズがイニシアチブの命題に採用した「Silence is not an option（沈黙は選択肢ではない）」だった。アメリカを代表する大企業も次々とＢＬＭに連帯し、レイシズムに反対する声明を発表した。

ＢＬＭへの企業の対応は大きく分けると（1）ＢＬＭ関係の運動団体に寄付する、（2）コーズ・マーケティングを行なう、（3）自社の雇用ポリシーを見直す、という3つのカテゴリーで起きた。最初のふたつは新しいものではないが、２０２０年版ＢＬＭで活発化したのは（3）だった。

多くの企業で、役員会の顔ぶれや社内のマイノリティの比率、給与や待遇を見直そうという動きが起きた。黒人やその他のマイノリティが、社内のレイシズムに対して声を上げた。過去のレイシズムや多様性の欠如が精査され、食雑誌『ボナペティ』や多様性を謳うメディア「リファイナリー29」などで編集長が交代した。これまでレイシズムの温床になっているという批判を受けていたソーシャル・ニュースサイトの「レディット」は、ロゴのカラーをオレンジから黒に変更し、共同創設者でＣＥＯのアレクシス・オハニアンが自ら辞任して、後任に黒人のマイケル・サイベルが就任した。その後も、アディダスやエヴァーレーン、化粧品のグロッシアーの社員や元社員たちが、マイノリティ従業員の具体的な待遇改善を公に求める、という現象が断続的に起きている。

革命が中継されている。そう思う理由のひとつは、企業内部から上がるこうした声が、SNSのおかげで疾風のごとく可視化され拡散されていくプロセスを日々目撃しているからだ。これは裏を返すと、コーポレート・アメリカがこの数年間懸命に取り組んできたはずのダイバーシティ／インクルージョン対策が、実際のところは期待されるほどの成果を生み出してこなかったということを示唆している。実際、2018〜2019年の「フォーチュン500」のリストに載ったアメリカ企業の役員の顔ぶれを見ると、女性の比率はようやく40％を超えたものの、人種マイノリティが占めるのは23％、黒人にいたっては10％にすぎなかった[★34]。こういう不平等を積極的に是正しようというドライブがいま、ようやくかかった感がある。

企業がBLMとの連帯を表明すると、否応なくそのメッセージの一貫性が検証される、というのも新たな現象のひとつだ。BLM支持を表明しながら、従業員がBLM関連のアクセサリーを着用するのを禁じようとしたスターバックスは、激しい批判にあって方針を変えるはめになった。

警察に顔認証の技術を提供するテック企業もやり玉にあがった。黒人、アジア人、ネイティブ・

アメリカンの顔となると途端にエラー率が上がる顔認証の技術が、マイノリティの誤認逮捕を誘発していることが明らかになって、ＩＢＭはＢＬＭを踏まえて顔認証の事業からの撤退を決めた。一方で、ＢＬＭマーケティングをしつつも当局に技術を提供していたアマゾンやマイクロソフトに対しては、事業中止を求める圧力運動が行なわれ、警察による使用をひとまず停止するという譲歩を引き出した。

もちろんこうしたプログレスすべてが、ただスムーズに進んできたわけではない。忍耐強いデモ活動に警察が暴力を振るう映像が様々なチャンネルを通じてどんどん流れてくる。ＢＬＭの過程で登場した「デファンド・ザ・ポリス（#DefundThePolice：警察の予算を削れ）」キャンペーンは警察のさらなる暴力を引き起こしているし、奴隷を売買・虐待した「英雄」像の撤去は、保守派からは「伝統のキャンセル」だとして反発を受けている。トランプ政権が、圧倒的に平和的なデモの片隅で起きた破壊行為や組織的な略奪を利用して「法と秩序」キャンペーンを始め、連邦の

★34 Heidrick & Struggles, "Board Monitor US 2020," Sept. 2020

武装部隊をポートランドに派遣したため、トランプ派と左派の分断はさらに深まった。2020年8月、ウィスコンシン州ケノーシャで警察から背中に7発以上の銃弾を浴びたジェイコブ・ブレイクさんの事件を経て再燃したデモには、武装主義団体に所属する17歳のカイル・リッテンハウスがライフルを持ってやって来て、デモの参加者2人を死亡させる事件が起きた。

こうした状況のもと、フェイスブックではディスインフォメーション（虚報）をめぐる経営陣と従業員とのにらみ合いが続いている。2016年の大統領選挙に際してフェイクニュースの拡散を放置し、ロシアによる虚報攪乱作戦の介入を許したことが厳しく批判されながら、検閲はプラットフォームの仕事ではない、とあくまで対策を取らない態度を長らく貫いてきたCEOのマーク・ザッカーバーグに対して、コロナ禍に入って社員たちからの圧力運動は弾みをつけ、バーチャルストライキやSNS上の告発が活発になった。

2020年7月には、ミレニアル世代の広告エージェンシーがクライアント企業に対してフェイスブックからの広告引き上げを説得した出稿中止キャンペーン「ストップ・プロフィット・フォー・ヘイト（#StopProfitForHate）」が生まれた。これには1100企業と100団体が参加し、

10億ドル分相当の広告が取り下げられた。こうした圧力を受けてフェイスブックは、渋々とはいえ虚報や陰謀論、武装勢力に関わるアカウントを制限したり、誤情報にフラグを立てたりするといった対策に乗り出した。

フェイスブックにヘイト対策を取らせるという成果を出したと思われたこのキャンペーンだったが、ウィスコンシンの事件後、デモ参加者に発砲したリッテンハウスや武装主義団体についての通報がフェイスブックに寄せられながら放置されていたことが明らかになったときには、矛先(ほこさき)を傘下のインスタグラムに向けて、インフルエンサーやユーザーに使用を１日停止するよう呼びかけるキャンペーンを行なった。

２０２０年の大統領選挙直前には、過去にはノンポリと言われたザッカーバーグがトランプ政権関係者と密に連絡を取り合っていること、意図的に左派のニュースサイトの投稿の可視性を下げていたことが報じられ、フェイスブックに対する圧力は頂点に達した。ついにはトランプ大統領による誤情報のポストにフラグが立てられ、陰謀論者やホロコースト否定論者が一掃された。

プラットフォームを動かそうとする運動がＢＬＭと地続きなのと同じように、労働者の待遇改善や安全方策の向上を求める労働運動からはじまって、ＬＧＢＴＱ＋の権利保護運動、プロ・チョイス（中絶の権利擁護）運動まで、社会のプログレスを目指すアクティビズムはすべてつながっている。自分の権利を求めるのであれば、他人の権利のためにも闘わなければならない――「交差性」の理念は、トランプ時代に入って加速した多様な運動間の連帯とともに、さらに強固なものになっている。

変わろうとするファッション業界

コロナウイルスによってファッションの世界も大きく揺れ動いた。国際的な物流が停滞したこと、小売店舗が長期にわたり休業したこと、大量の卸し注文がキャンセルされたことなどが大きな負荷となって、ロックダウンから数カ月以内に、Ｊ・クルー、ブルックス・ブラザーズ、百貨店のＪＣペニーといった企業が事業再生に向けて破産法の適用を申請した。

ことファッションにおいても、コロナ禍は以前から緩やかに進んでいた改革についての議論を一気に推し進めた。すぐにグッチが、春夏と秋冬に加えて数が増えていたシーズンの数を減らし新作の発表を年2回に戻すと発表した。ドリス・ヴァン・ノッテンは業界へのオープンレターを公開し、前倒しにした「シーズン」の概念をより現実の季節に近いタイミングに戻すよう呼びかけた。ファッション・メディア「ビジネス・オブ・ファッション」が音頭を取ったイニシアチブ「リワイヤリング・ファッション」は、ニューヨーク、ロンドン、ミラノ、パリと世界を巡回するコレクションの年間スケジュールやファッションショーそのものの改革案を提示し、これに64社が名を連ねた。

一方で、欧米の小売店やブランドが工場への商品の注文を一気にキャンセルした結果、ただでさえロックダウンによって一時閉業に追い込まれた途上国の工場は、素材の在庫を大量に抱え、資金難に陥った。この危機的状況が終わるまでのあいだに、多くの工場が倒産や閉業に追い込まれると懸念されている。西側世界がクライシスに陥ったとき真っ先に切られるのは、システムの一番下の土台を支える途上国の工場だという酷(ひど)い現実が露呈したわけだ。

ロックダウンから半年が過ぎたあと、２０２０年秋から、オンライン配信と、ソーシャル・ディスタンシングを取りながらのリアルな会場とのハイブリッドによるコレクション発表が再開し始めた。破産申告をしたブランドをファンドが購入する動きも出てきている。現時点で、ファッション業界全体が大きく変わるのかどうかを見極めることは難しいけれど、サプライチェーンが不安定になったのを機に、できた商品から順に市場に出す方法にシフトし、シーズン制から脱却するインディペンデントのブランドも増えてきた。パンデミックが起き、環境破壊への理解が進んだことによって、商品ページに記される情報がどんどん詳細になっているのは喜ばしい変化だ。素材がどこで調達されたのか、どこで生産されているのか、さらには、包装の方法や企業としての持続性政策が書かれていることもある。

ＢＬＭのムーブメントはファッション業界にも連鎖し、これまでの慣習や制度上のレイシズムが同様に再検討された。ＢＬＭ組織のファウンダーの一人、パトリース・カラーズは、このムーブメントを国際的な抵抗運動だと定義している。それはアメリカ国内のみならず世界規模で有色の「ピープル・オブ・カラー」が不平等な扱いを受けているからということもあるが、先進国の企業が途上国の安価な労働力に依存するファッション業界は特にその構造を体現している。「スロー・ファクトリー」のセリーヌ・セマーンは、ファッション業界がいまだに植民地主義的な商習慣によって運営されている実態をこう指摘する。

「現代のサプライチェーンを世界地図上で見ると、帝国主義時代に白人国家が植民地を搾取・利用した貿易ルートとほとんど変わりません。ファッション生産網の多くは途上国の工場で働く人たちの上に築かれた抑圧的なシステムによって成り立ってきたんです」

2019年の時点で世界に7500万人以上と推定される[★35]アパレル業界の労働者の権利拡大を推進する「レイバー・ビハインド・ザ・レーベル」によると、その労働者の85%が女性で、さらに圧倒的多数が人種的マイノリティである。つまり、白人たちが企業やブランドのトップに座る巨大なファッション・マシーンを最下部で支えているのは、無数の有色の女性労働者たちなのだ。

★35 The Solidarity Center, "Annual Report, 2018-2019," Aug. 2019

実際、企業に対し人権対策やトレーサビリティ（追跡可能性）の向上、情報開示を求める運動は、時代の「交差性」をさらに反映して、グローバルに拡大している。2020年3月にオーストラリアのシンクタンクがまとめた調査結果によると、中国政府によって弾圧されているウイグル人たちが中国の各地の工場で強制的に労働に従事させられているという[★36]。2016年以降に推定100万人を超えるウイグル人が強制収容所に送られ、不妊治療を強要されたり拷問を受けたりしているという事態が、2019年以降、報道機関や人権団体による調査、現地からの映像などで確認されるようになってきたが、この報告書は初めて、新疆(しんきょう)ウイグル自治区から強制的に移動させられたウイグル人たちの労働を、アップル、メルセデス・ベンツ、ザラ、ギャップ、L・L・ビーン、ユニクロといった企業の事業と結びつけるものになった。ウイグル人を労働に使う工場をサプライチェーンから外すよう求めたこの報告書は、中国で綿や糸を調達するファッション企業に圧力をかけるデジタルでのキャンペーンへと発展した。ラコステとアディダスがいち早くこれに反応して、この報告書に登場する工場との取引中止を表明したほか、その後は各国の政府や企業が独自の調査に乗り出す展開につながっている。

パンデミックが前進させた「パワー・オブ・ウィ」

繰り返し述べてきたように、新型コロナウイルスの登場は、それまでのアメリカ社会に潜在していた問題を顕在化させた。パンデミックによる経済活動の停止が経済全体を沈下させるリスクを回避するために、連邦レベルで、また自治体レベルで、失業手当や事業保障といったセーフティネットが過去に例を見ないスピードで整備・拡大された。住民の全員をカバーする医療保険制度がないということは、治療を受けられない人が出たり、高額の医療費を恐れて治療を避ける人がさらに感染を広げたりする可能性を意味したから、保守・リベラルを問わずニューヨークやアイダホ、ユタといった多くの州で、メディケイド（低所得者用の公的医療保険制度）の適用範囲を拡

★36 Australian Strategic Policy Institute, "Uyghurs for sale," Mar. 2020

大したり、そのハードルを下げたりする方策が採用された。

空前の財政赤字に陥ったニュージャージー州は、カリフォルニア州やニューヨーク州に続いて、スーパーリッチと言われる富裕層に特別税を課す州のリストに名を連ねた。都市部におけるホームレスや低所得者層の独り立ち・就職支援のために、毎月一定の給付金を住民に支払う「ベーシック・インカム」がパンデミック以前から議論されていたシアトルやロングビーチでは、いよいよ現実的な導入が検討されている。先にも述べたように、BLMが再燃してからは数々の自治体で、危険な捜査手法の禁止や警察による不祥事の情報開示、コミュニティの教育や福祉への予算の割り当てが進められようとしている。

こうした施策も、都会のプログレッシブ運動の騎手たちが長らく追求してきた課題のリストに入っているものばかりだ。医療や教育にアクセスする機会が住民たちに平等に与えられ、普通に仕事をすれば生きていくことのできる社会——これまでは夢物語のようだったコンセプトが次から次へと、これまでは考えられなかったスピードで実現している。

コロナウイルスが証明したのは、自分の暮らす国や地域によって、自分が受けられる保護やサービスが多少なりとも変わるという現実だった。アメリカでは特に、初期の景気刺激策以降は連邦政府が州や自治体にパンデミック対策を「任せた」ことから、各行政の決断次第で、パンデミック対策から失業者の待遇まで、市民が受けられるサービスは場所によって幅がある、という状況を作り出した。こうした傾向は結果的に、市民たちの地方政治への関与を後押しした。2020年の秋は、11月3日の選挙の日に向けて大統領選に注がれるのと同じくらいの熱量が、同時に行なわれる自治体での住民投票や地方議員選挙に注がれた。

新型コロナウイルスの感染が広域に拡大することを許したアメリカでは、国全体で感染者1276万人、死者26万人以上（2020年11月25日時点）を出し、その後も感染はさらに広がっている[★37]。経済の一時停止によって8月には87万人に達した失業保険の週間新規申請件数は、その後減ったとはいえ、11月には77万人を超えた[★38]。ワクチン開発の可能性も見えてきたと

★37 ジョンズ・ホプキンス大学のコロナウイルス・リソース・センター

★38 アメリカ労働省の Unemployment Insurance Weekly Claims Report

はいうものの、コロナと共存する「非日常」が少なくとも2021年の後半までは続くと見込まれていて、それ以上に長期にわたる不景気が心配されている。コロナウイルスが引き金となったこの革命は、まだ始まったばかりなのだろう。

第1章で、個人主義だったアメリカのミレニアルたちが「ミー」から「ウィ」にシフトしたと書いた。20世紀以降、アメリカにおいてプログレッシビズム（進歩主義）が最も前進したのは、1960年代だったという。黒人の基本的人権を求める公民権運動が広がり、現代の公立学校制度の仕組みや福祉が整備された時代だ。平等や互助を目指す60年代の空気感は、その後、都市部の治安悪化やドラッグの蔓延によって後退し、以来アメリカは個人主義路線を走っていったわけだけれど、印刷物における用語の使用頻度を検索できるグーグルの「Nグラム・ビューワー」で見ると、20世紀以降は1967年にピークに達して減少を始めた「ウィ（We）」という言葉の使用頻度は、2003年から再び上昇し始め、現在までそのまま伸び続けている。2004年にはアメリカ旅行協会会長のジョナサン・ティッシュと文筆家のカール・ウィーバーが『パワー・オブ・ウィ』（未邦訳）と題した本を上梓し、協業がビジネスにもたらす恩恵の大きさを説いた。

2008年には、大統領選挙に出馬したバラク・オバマがスローガンに「イエス、ウィ・キャン」を採用した。いつしか「ウィ」は時代の合言葉になり、ミレニアルの市民運動の精神となった。2020年秋には、子供向けの長寿番組『セサミストリート』が、レイシズムに対して立ち上がることを奨励するエピソードに「パワー・オブ・ウィ」というタイトルをつけた。

自分ごとでいえば、コロナ禍での経験は、自分がこの広い世界の中で共同体の一員であるという認識を、これまでに感じたことのないリアリティでもって突きつけてきた。もう何年ものあいだ、月に何度も飛行機に乗り、ひとつの場所に1週間以上とどまらないというスタイルで自由気ままに続けてきた「旅」という行為が、不特定多数の人に迷惑をかける可能性を秘めるものになっていた。

ロックダウンの初期、多くの商店やビジネスがまだ身の振り方に迷っていたときに潔く店を閉めたセレクトショップ「ピルグリム・サーフ+サプライ」のクリス・ジェンティールと話をしていて、強く印象に残った言葉がある。パンデミックが起きたことで、店の売上は一時的にほぼゼロになった、それでもきっと自分は生きていける、そう言ったあとに続けた言葉だ。

「僕ら一人ひとりは大海原に浮かぶ流木くらいの小さな存在だけれど、それぞれの小さなアクションが、世の中に大きなインパクトを引き起こしてしまうことがある」

独立した個人として、自分のルールで生きているつもりでも、知らずに人にウイルスを渡してしまうリスクがある。そういう状況を体験したことで、自分はより大きな世界とつながっているのだ、という認識を新たにした。しかし、これは同時に、個々の小さなアクションであっても積もり積もれば大きな変革を引き起こすことが可能だ、ということでもあった。

2020年版のBLMが起きたときには、社会にはびこるレイシズムに反対する声を上げることの必要性を痛感し、おそらくアメリカに移ってから初めて、アメリカ社会の一員として、また、アジア人としての自分の責任というものについて考えた。

そして、ロックダウン初期に物の供給が不安定になる状況を目の当たりにしたことで、これまでずっと私の頭の中の引き出しにしまわれてきた、「物がどこからやって来るのか」という疑問を別の角度から再考することにもなった。これまで当たり前に、店に並べられて手が届くところにあったり、クリックひとつで購入できたりしたものは、なにひとつ当たり前ではなかった。私たちの世界にあるものに、当たり前のものなどないのだ。手元にやって来る物の背景にはとても複雑なサプライチェーンが存在し、物を作り、梱包して、届けるために、多くの人々が手を動かしていたのだ。そして、自分の手元に物を届けるインフラに従事する人たち全員が、私たちの暮らす共同体のステイクホルダーなのだということを、コロナウイルスの到来とともに沸き上がった文化の見直しの議論やＢＬＭの運動が教えてくれたのだ。

04

自分ごとのサステイナビリティ

自分はどんな消費者でありたいか

このところ何年にもわたって、こういう時代に自分はどう生きればいいのか、という問題が常に自分の頭の片隅にあった。ライフスタイルやファッション、ものづくり、旅といったテーマを追いかける職業の中で、時流に流されないで本物を選りすぐる、つまり、簡単に消費されたり捨てられたりしないものを伝えようという気持ちでやっていたとしても、「消費」によって回り続ける巨大な資本主義システムの中で歯車のひとつとして働いていることは否定しようのない事実だった。また、ブルックリンとニューヨーク州北部の林間地帯に家を借りていて、そのあいだを頻繁に車で、さらには年に何度もニューヨークと東京を飛行機で往復するのに加えて、仕事でもプライベートでも時間さえあればあちらこちらへと旅をしてきたので、それに紐づく私発のエネルギー消費も相当な量になっていたはずだ。そして、そういう経済活動の成り立つ地盤が、加速する気候変動によって揺らぎ始めていることも感じていた。

だからこそ、生活と仕事の両面で「責任あるやり方」を追求して「ゼロ・ウェイスト（ゴミを出さない）」にも挑戦したし、サステイナビリティの最前線や地球環境に配慮したものづくりを探しては取材し、懺悔（ざんげ）の気持ちを込めて、消費者としての目線から見た生活革命の本をあらためて書こうと思っていたのだった。その作業の中で自問し続けたのは、自分はどんな消費者でありたいか、という問いである。

新型コロナウイルスの到来によって世の中の流れが大幅に変わってしまい、結果的には当初書いていた原稿のほとんどをボツにすることになったけれど、この最後の章では、自分の生活に小さな革命を起こしたい人のために、その過程で学んだことや考えたことをまとめておきたいと思う。

「サステイナブル」が目指すもの

サステイナビリティ——いつしか日常的に耳にすることが多くなった言葉ではあるけれど、基本的には「sustain（維持する、持続させる）」+「able（できる）」という意味である。「持続できる」状況を作ることが求められる裏には、「現状は持続性がない」という前提があるが、このときの「持続性がある」は地球環境だけの話ではない。現代のサステイナビリティは、経済的・社会的・環境的という3つの柱が揃ってはじめて「持続できる」という状態になると考えられている。

２０１５年夏に国連が主導して設定された、２０３０年までに各国が達成すべき「持続可能な開発目標（Sustainable Development Goals：ＳＤＧｓ）」を見ると、「持続可能な開発」がカバーするのは地球環境の持続性に加え、コミュニティの健全性や福祉といった社会的持続性、格差の是正や貧困の撲滅といった経済的持続性など、17目標１６９ターゲット項目である。

ＳＤＧｓは国家間レベルを超えて対策の道筋を示したという点で画期的ではあったけれど、具体的な数値目標や達成への道標を欠いたために、あくまでも努力目標以上には機能しなかった。その後「目標」達成の切迫性が高まったのは、２０１８年に国連のＩＰＣＣ（気候変動に関する政府間パネル）が「１・５度特別報告書（Global Warming of 1.5℃）」と題したレポートを発表したからである。地球上の平均温度が２０１７年時点で産業革命前の時代に比べて１度上昇しており、現在のスピードで温室効果ガスが排出され続けると、早くて２０３０年、遅くとも２０５２年には上昇幅が１・５度に達する。そうなると、山火事、嵐、洪水、干ばつといった自然災害が危機的状況をもたらす。そんなシナリオを描いたこの報告書が、世界規模で学生運動や消費を通じたアクティビズムを引き起こしたことは前述した通りだ。

とても環境的持続性が高いとは言えない目下の状況を変えるには、輸送、製造業、建設、農業・林業などによって排出される二酸化炭素、メタンガス、亜鉛化窒素など、いわゆる温室効果ガスの排出を減らす必要があるが、そのためにはさらに、エネルギー消費を再生可能エネルギーに代替し、生態系の保護を追求しながら、人類が生産する物質を最終的には土に還す「循環型」のシステムに転換する必要がある。この過程で社会に行き渡るだけの雇用と資本を生み出すことができれば、経済的持続性も達成できるし、従来の搾取的システムから脱却し、ステイクホルダーを重視して顧客や従業員のニーズに応え、コミュニティをサポートすれば、社会的持続性も高められる。これが、いまプログレッシブたちが求めるグリーン・ニューディールの考え方だ。

こうして長期的な持続性が実現された環境を思い浮かべることはできるにしても、現実社会において「サステイナブル」という言葉が意味する内容は、何の話をしているかという文脈によって変わってくる。商品や原料に「サステイナブル」と書いたラベルがついていることはあっても、明確な定義のない概念であるうえに、100%の持続性確保は容易ではない。持続性のない素材を使う「エコ商品」や実態の伴わないマーケティング目的の「エコ対策」など、「グリーンウォッシング」(環境を配慮する姿勢だけを取ること)も横行している。紙のゴミを減らすために「ペーパーレス」に切り替えたはいいが、人々がサーバー上の受信箱やフォルダに溜め込んだデータが電力を大量に消費しているという。電気自動車は燃料消費の観点からいえばエコだけれど、廃棄する資源の観点からいえば、現存するガソリン車に乗り続けたほうが持続性が高いと言う人もいる。

いずれにしろ、人間というのは生きているだけで環境に傷をつける存在なのだろう。

「リニア」から「サーキュラー」へ

気候変動の危機的状況を引き起こしている大きな原因のひとつに、ゴミ問題がある。ビン・カン、紙、その他、再利用できるもの以外のゴミは、アメリカでは埋立地に運ばれる。日本では焼却され、空気中に排出されることもある。どちらもサステイナブルな方法とは言えない。

過去には先進国のゴミやリサイクル資材を購入してきた中国や東南アジアの国々が、2017年末から、廃プラスチックの輸入を禁止する措置を取って以降、先進国の資源ゴミは行き場を失ってしまい、アメリカ国内では引き取り手のないゴミを抱えて右往左往する自治体が出てきている。

地球上にあふれるゴミの問題が深刻化する過程で、金属を探知・分類できるAI、多種のプラスチックを繊維や別の素材、化学製品に転用する製法など、たくさんの技術が生まれた。こうしたことはエキサイティングではあるけれど、少なくとも現時点では根本的な解決にはならない。回収・再生が追いつかないほどの量のプラスチックが、いまだに日々生産されているのだ。

このどうにもならない状況に目指すべきゴールとして掲げられるのは、「cradle to cradle（ゆりかごからゆりかごへ）」である。アメリカ人の建築家で工業デザイナーのウィリアム・マクダナーとドイツ人の化学者マイケル・ブラウンガートが提唱するこのコンセプトは、人間の手によって生み出されて「ゆりかご」を出発したあらゆる物質を「墓場」である廃棄場に捨てるのではなく、生産の段階から土に還せる物を作ったり、そうでない物は再生して命を吹き込んだりして循環させるという考え方だ。生産・消費・廃棄のプロセスからなる従来の「直線型経済（リニア・エコノミー）」に対して、「循環型経済（サーキュラー・エコノミー）」という言葉でも表現される。

2000年代以降、アメリカでは「ゼロ・ウェイスト」運動がじわじわと浸透した。2009年には、エネルギー消費とゴミを排除した生活にチャレンジするニューヨークの一家を追ったドキュメンタリー映画『ノー・インパクト・マン』（邦題は『地球にやさしい生活』）が公開されて、カリフォルニアに暮らす女性が自分自身のゴミ撲滅運動を記録した体験コラム「ゼロ・ウェイスト・ホーム」がニューヨーク・タイムズ紙上で話題になったりもした。そうして少しずつ、生ゴミは堆肥化(たいひか)（コンポスト）し、その他の土に還らない物資はリサイクルするという循環型のゼロ・ウェイストの試みが、様々な自治体や企業によっても積極的に実践されるようになった。

私自身、大雪でニューヨークの収集が数日止まったときに家の外に積み上げられるゴミの量を見て呆然とし、よし自分も、と「ゼロ・ウェイスト」のチャレンジを始めてはみたものの、これが本当に難しい。堆肥化に貢献するために、生ゴミはファーマーズ・マーケットに併設される集荷場所に持って行く。一時は自分の住むブロックがニューヨーク市の堆肥プロジェクトの実験地区に指定されたが、真面目にやる人が少なかったのか、残念ながら途中で終わってしまった。

マイカップや水筒、スペアのバッグを持ち歩き、買い物やテイクアウトの際には必ず、プラスチックのフォークやスプーン、調味料の追加は不要の旨をすかさず言い伝える。ペーパータオルは使わずに手ぬぐいや雑巾を使っていたが、それでも、家にあるものすべてを再検討してみると、まだまだ使い捨てのものはたくさんあった。使い捨てのカミソリをメタル製に替えても、電動歯ブラシはやっぱりプラスチックでできているし、シャンプーなどの旅に携帯する容器は必ずといっていいほどプラスチック製だった。サステイナブルだと話題の、柄が竹でできたタイプの歯ブラシだって、調べてみれば大半のものはブラシの部分がバイオディグレーダブル（土に還せるもの）ではない。何か買うときは包装材が紙なのかプラスチックなのか常に気を配り、リサイクル可能もしくは再生資材であることを示すマークを探す。そうやって捨てる量を減らすことは可能だけれど、なかなかゼロにすることはできない。こうした自分なりの実験を散々やってみて、自治体が実施を唱える「ゼロ・ウェイスト」の実行可能性がいかに低いかを実感した。おまけにコロナウイルスのせいで、マスクから容器まで、人が手に触れたものは再利用しないというルールができてしまったから、ゴミ削減運動は後退した感すらある。

コロナ禍で山の生活を始めてからは、地域のリサイクルセンターに所属し、自分でゴミの処理をするようになった。センターでは、缶はメタルとブリキとにという具合に、資源ゴミは細かく分ける。電池や電球は輸送の最中に発火したり破損したりしないように処理して捨てる。どうしてもリサイクルできないゴミは、量に応じて決められた処理費を払って引き取ってもらうのだが、その際にも解体してパーツを素材ごとに分別する。寄付された不用品の新たな使い手を探すコーナーがあるし、掲示板には「車椅子を探しています」などと書かれた「求品」のメッセージも貼られていて、ものを簡単に捨ててはいけないという不文律が共有されていることを感じる。都会ではざっくりと分別して決められた場所に置いておけばいつの間にか収集されていたゴミが、大自然の中に存在するセンターに集められ住民たちの手で分類される様子を見て、物を捨てることの罪の重みをあらためて確認した。

土に還らないゴミをなくす、という目標の前に最終的に立ちふさがるのは、プラスチックである。ファッションブランドから農家まで、実際に物を売ったり作ったりしている人たちと話をし

リサイクルセンターの入口。資源ゴミは細かく分別し、使える物は陳列される。

てみると、生産と流通の網からプラスチックを排除するハードルは、素人が考えるほど低くない。安くて、軽くて、扱いやすく、商品や物資を汚れから守ってくれるプラスチックと同じ機能を果たしてくれるものがないという壁にぶつかるのだ。

ニューヨークも東京も２０２０年に入ってようやく、レジ袋の規制が始まった。それでもまだ、世の中はプラスチックにあふれかえっている。同年9月にはＮＰＲが、アメリカで長年続けられてきたプラスチック再利用事業は、プラスチックの生産継続を正当化するための口実として業界が考案したもので、集められるプラスチックのほとんどが実際には再利用されていないというスクープを出して世の中を騒がせた。これまで多くの人たちが再利用を信じて、洗ったり乾かしたりしてせっせと分別してきたプラスチックの大半は、ただ廃棄されてきたというのだ。

とはいえ、近年になってプラスチックを再利用する技術は多様化してきた。２０１８年にはイギリス・ポーツマス大学のジョン・マギーハン教授とアメリカ国立再生可能エネルギー研究所のグレッグ・ベッカム博士が、京都工芸繊維大学などの研究者チームによって発見されていた、プラスチックを「食べる」酵素を作成することに成功した。２０２０年には、その酵素を別の「メターゼ」という酵素とつなぎ合わせれば、プラスチックを6倍の速さで分解できることを発見した[★39]。こうしたイノベーションがプラスチックゴミ問題の解決に寄与する可能性はあるが、緊迫する状況を前に、時間との競争であることは間違いない。いま私たちにできることは、プラスチックを排除する業者を応援すること、大企業に使用の停止を働きかけること、そして、いち消費者として、プラスチックを使った製品をなるべく買わないことくらいだ。

肉食生活のオルタナティブ

私ごとではあるが、いまから3年ほど前に肉を食べるのをやめた。だんだん年を取ってきて、肉を食べたあとに体が重いと感じていたところに、ドキュメンタリー映画『健康って何?』(原

★39 The Guardian, "New super-enzyme eats plastic bottles six times faster," Sept. 28, 2020

題は『What the Health』）を見て、食肉産業というものが怖くなってしまったのだ。本作の監督のうちの一人キップ・アンダーソンは、肉を食することが人間の健康に与える作用と食肉産業が環境に及ぼす影響を憂う、菜食主義者であり環境主義者である。食肉にされる動物たちが非人道的な方法で飼育されていること、見映えを良くするために肉や魚に対するホルモン注射が横行していること、アメリカにおいて肉食が糖尿病や心臓病といった深刻な成人病の増加につながっていることなどを示すために、ショッキングな映像をこれでもかこれでもかと積み重ねていく。食肉業界が政治や医療の世界とつながって巨大産業を維持している、その構造を暴く作品でもある。結論ありきの映画だとわかってはいたが、見終わる頃には「肉も魚も、もう無理」という状態になっていた。

その映画を見てから数カ月のあいだ、動物性の食べ物をいっさい食べられなくなった。偶発的に「ヴィーガニズム」というものに足を踏み入れることになったのである。ところがやめてみると、そもそも肉が自分の体に向いていなかったのだ、と思うほど調子が良くなった。体がすっかり軽くなり、朝の目覚めも快調になって、かつてない感覚を知った。日本との往復を繰り返すなかでヴィーガニズムを維持することが難しくなり、結局は、牛、豚、鶏などの肉は食べないけれど魚介は食べる「ペスカタリアニズム」に転向したのだが、その過程でいろいろなことを学んだ。

まずひとつに、元来のヴィーガニズム（絶対菜食主義）は哺乳類の肉や魚介だけでなく、蜂蜜や卵なども含めて動物性のものをいっさい食べない考え方だということ。一口にヴィーガニズムと言っても、アニマル・ライツの観点から、食生活においてだけでなく革製品など動物の商品化全般を拒絶する「エシカル・ヴィーガニズム」、食事に限って菜食を実践する「ダイエタリー・ヴィーガニズム」、そして環境上の理由で動物性のものを消費しない「エンバイロメンタル・ヴィーガニズム」があるということ。ヴィーガニズムほど厳格ではないが、「プラントベース（植物性）」と呼ばれる菜食主義を実践する人たちがいるということ。動機も実行スタイルも多様である。

国連食糧農業機関（FAO）によると、気候変動の原因の第一は自動車、鉄道、飛行機といった輸送にかかるエネルギー消費で、これが温室効果ガス排出全体の14％を占める。第二の原因が牛を中心とする畜産で、主に家畜の出すメタンガスが温室効果ガスの5％にあたる量を排出している。ところが、これには生産に伴う輸送などのエネルギー消費は入っていない。食肉の加工やその輸送までをも考慮すると、畜産業による温室効果ガスの排出は交通輸送によるエネルギー消費とほぼ同等のレベルに達する［★40］。

裏を返せば、人間たちが肉を食べる行為を減らし、食肉の生産量を減らせば、急速に進む地球温暖化の緩和に大いに貢献できる、ということになる。環境破壊を理由に菜食やヴィーガニズムを実践する人たちが増える背景には、この現状や考え方がある。100％の菜食はハードルが高い、そう感じる人には、肉を食べる日を減らすという小さな実践が奨励されている。たとえばアメリカでは、月曜日には肉食をお休みする（ミートのMとマンデーのMとをかけて）「ミートレス・マンデー」が推奨されている。2000年代前半に健康推進のイニシアチブとして始まり、その後、環境志向のヴィーガンたちに支持されて広がったこの運動は、環境に対する危機感の高まりとともに学校や自治体などでも取り入れられるようになった。

肉の代替品のバリエーションは今も増える一方だ。菜食の世界では1980年代から、フェイクミート、ベジタリアンミート、ミートアナログといった名称で呼ばれる植物性の代替肉が流通するようになった。2000年代に入って、食肉生産による温室効果ガス排出の環境負荷が指摘されたり、「プラントベース・ダイエット」の効果が注目され始めたりして、フェイクミート市場が一気に拡大した。

なかでも注目されているのが、２０１１年の創業当初から大豆、じゃがいも、小麦のたんぱく質、メチルセルロース、塩化カリウムを使ったパテを開発して、レストランやファストフード店に卸す「インポッシブル・フーズ」、そして、エンドウ豆、玄米たんぱく質、じゃがいもでんぷん、塩化カリウムなどを使った代替肉のバリエーションを２０１２年から販売する「ビヨンド・ミート」である。特に後者はタイソン・フーズ傘下の投資部門や、マクドナルドのドン・トンプソン元ＣＥＯ、俳優で環境アクティビストのレオナルド・ディカプリオなどからの投資を受け、最近では株式公開も果たして市場の熱い視線を浴びている。ダンキンドーナツやケンタッキーフライドチキンといったファストフードの大手が次から次へとフェイクミートの商品をメニューに取り入れるようにもなった。

★40 FAO, "Tackling Climate Change Through Livestock," 2013

もちろん、巨額の資金を投じて研究所で新たに開発された「肉」の安全性については懐疑的な声もある。２０１８年には「インポッシブル・フーズ」が開発したヘム（大豆のレグヘモグロビンから抽出した分子）をアメリカ食品医薬品局が「安全」と評価する手紙を公開して話題になったが、生産の過程に遺伝子を組み換えたイースト、ソジウム、飽和脂肪酸などが使われていて、カロリーは高い。「ビヨンド・ミート」のバーガーには遺伝子組み換えの材料は入っていないが、こちらも飽和脂肪酸とソジウムを多量に含有する。こうした加工度の高さを嫌う菜食主義者も少なくない。

コロナウイルスの到来によって食肉市場が不

Sundry Photography/Shutterstock.com

ロサンゼルスのスーパーマーケットで並べて売られていた「インポッシブル・フーズ」と「ビヨンド・ミート」のパテ（2019年12月に撮影）。

安定化し、フェイクミートの需要をますます押し上げたことは先にも述べた。コロナ禍以降のフェイクミート・ブームを支えているのは従来の肉愛好者たちだという。

自分が挑戦するまで、菜食主義＝ストイックな食生活なのだと想像していたが、いざ挑戦してみると、近年の菜食人口の増加の後押しを受けて、ニューヨークのベジタリアン文化が鮮やかに開花していた。

そこには、フェイクミートに頼らない、オリジナルで楽しい菜食の世界が広がっていた。見た目はハンバーガーだけれど、野菜と穀物をふんだんに使ったコロッケのようなパテが自慢のイーストビレッジのテイクアウト店「スペリオリティ・バーガー」に惚れ込み、縁あって東京店の出店に関わることになった。チャイナタウンの端には「ジャジャジャ・プランタス・メキシカーナ」という新世代のポップな菜食メキシコ料理店が２０１７年にオープンして、またたく間に人気店に成長した。イーストビレッジには「ダブル・ゼロ」が登場して、乳製品を使わないイタリアンの新解釈を披露している。

牛乳を使ったチーズを食べない人のためには、ナッツや大豆を使うヴィーガン・チーズの新製品がどんどん充実してきていて、ウィリアムズバーグにはカシューナッツを発酵させて作った「チーズ」を出す「ドクター・カウ」という店ができた。最近のコーヒーショップでは、牛乳の代わりになる「プラント・ミルク」の選択肢を、オーツ・ミルク、カシュー・ミルク、ヘンプ・ミルク、マカデミア・ミルクなどにまで広げるところが増えている。動物性の食材をやめたい、減らしたいという人たちにとって、次々と登場するおいしい「ノン・デイリー（非乳製品）」の食品を試す体験はなかなかに楽しい。

誰から物を買うのか

第1章でトランプ時代に入って加速した「バイコット（購買運動）」について述べたが、最近は日本でも「買い物は投票」という考え方が浸透し始めたようだ。

私自身にも、その考えに目覚めるきっかけがあった。２０１６年の大統領選の最中にアマゾンが極右サイト「ブライトバート」に広告を出していることが話題になったとき、私の暮らすアパートを管理する黒人のマーヴィンが「もうアマゾンからは物を買うわけにはいかないな」と決別宣言をしたのである。白人至上主義と超保守主義のデマが並ぶ、そんなメディアを認める企業にお金を落とすという行為は、間接的にその思想を支援することにつながってしまう。自分も連帯してアマゾンの使用をやめることにして（当座は、著者に入る印税の額が大きいという点を根拠に、電子書籍とオーディオブックは買ってもいいということにした）、そのついでに、オンラインで物を買う行為を一度見直すことにした。

もともと買い物はインディペンデントな個人店や旅先ですることが多かったので、オンラインでの買い物はごく一部の電化製品や機材だけだったが、それでも一度手にして慣れた利便性を手放すことには違いない。ところが、やめてみるとたいした手間ではなかった。話題の本を買って読みたいときには近所の本屋に電話をする。在庫があれば取りに行くし、なければ取り寄せてもらう。古書のたぐいはアマゾンで一度検索をし、その本がある書店に直接連絡して個人の取引をする。欲しいと思ったときにすぐに手に入らないこともあるが、それだってアマゾン・プライムの無料発送が始まるまでは当たり前のことだったのだ。日本と違って書籍の価格が厳密に固定化されているわけではないアメリカでは、リアル書店で新刊本を買うとアマゾンで買うより数ドル高くなる(逆にセール棚で掘り出し物を発見することもある)。けれど、自分が1冊本を取り寄せる「送料無料」の裏で、実際にはかかっている送料とそれにかかわる環境コストがある。アマゾンに払うお金にはたいした意味はないが、地元の本屋で落とすお金には意義がある。最近のインディペンデント書店は、顧客との関係を維持するためのポイント制やイベントの優先予約といった会員特典を用意していて、私は利便性を手放した代わりに、地元店をサポートする喜びを手に入れた。

電化製品やケーブルが必要になったときは、近所の電気屋まで歩いて行くようになった。アマゾンに並ぶ無数のレビューを読むより、電気屋に直接聞くほうがよっぽど話が早い。オンラインで買い物をしないと決めてみたら、人間との接触や会話が増えて、必要なものを買うという行為に少し体温が加わったような気がした。

本を執筆し出版することを生業にする自分にとっても、アマゾンは複雑な存在である。書店へのアクセスが悪い地域に住む人に本を届けてくれるということは大きな利点だし、レビューやランキングが販売促進になるのも確かだ。一方で、本書の前に刊行した自著『真面目にマリファナの話をしよう』（文藝春秋）の初版が在庫薄になった際には、痛い思いも経験した。出版社との契約形態によって、市場の需要があるのに在庫を思うように補充できないという状況が長く続くのを見て、アマゾンが出版社や著者に対し圧倒的な力を持っているのを痛感し、気づけば自分たちの命綱が握られていることに危機感を強めた。

こうしたことは本だけの問題ではなかった。メーカーに勤める友人が「アマゾンはもはや天気のようなものだ」とため息をつくのを聞いたことがある。当たり前にあるもので、サプライヤーやベンダーのコントロールの利かない存在。商品を出せば膨大な顧客層にアクセスできるし、それなりに売ることもできる。けれど、販売価格はギリギリいっぱいまで下げるはめになるし、手数料もかかるため利益幅は縮小する。なにより、ルールはアマゾンが一方的に決める。

だからチャンスさえあれば、アマゾンに依存することの危険性を訴えてきた。出版や本の世界に関わって生きていてもアマゾンの利便性に慣れきっている人は周りにもいたし、そもそも書店に出向く時間がない人だっているだろう。多くの人にとって「便利」「安い」「すぐ」にまさるものはないということはわかっていた。しかも私たちにできることは、あまりにも小さかった。

　ロックダウンが始まったとき、真っ先に心配したことのひとつにインディペンデント書店の存在があった。リアルな空間を取り上げられてしまったら、本屋はどうやって生き残ればいいのか。けれどそんな心配をよそに、世の中の大半の人が家を出ない生活に入ったことで、本の需要はむしろ上がった。書店は、事前注文を受け付けて商品を顧客がピックアップするかたちの営業を許されたが、個々の店はオンラインでイベントを開いたり、配達付きのサブスクリプションサービスを始めたりもした。

　あるとき、近所の本屋のサイトから本を注文しようとしたら、電子注文用のリンクが「ブックショップ」の商品ページであることに気がついた。調べてみると、2020年に立ち上がった、インディー書店を支援するためのオンライン書店だった。

　自身も出版社を経営するアンディ・ハンターが「アマゾンに対抗するために」考案したこのスキームは、本を1冊売ることで出る利益を、自社の運営費、加盟書店に分配する基金、アフィリエイトとで3等分する。加盟書店はオンラインの注文を「ブックショップ」に誘導することで、アマゾンよりもずっと高い、売上の10％のコミッションを受け取ることができる。商品の発送は本の配送や印刷を行なう「イングラム」という企業が担当する。アマゾンが今後も勢力を拡大するだろうという見通しのもと、店が負担してきたオンライン注文の発送にかかる労働とコストを肩代わりし、本の売上の一部を基金に回すことでインディー書店を支援するこの仕組みは、ロックダウン開始とともに一気に認知度を高め、2020年初頭に100万ドルに満たなかった基金は同年秋の時点で延べ700万ドルにまで達した。最近では、一般メディアが本を紹介する際に、アマゾンではなくブックショップのリンクを使うケースが増えてきたくらいだ。

アマゾンひとり勝ちの状況を前に「できることは小さい」と感じていた無力感は、あるひとりの出版人のアイデアによって、少なくとも本を買うという行為においては、こうして解消されたのだった。

「エシカル」に投資する

どうせお金を使うのなら、自分の価値観に近い企業に、欲を言えば、社会の前進に投資する企業に使いたいものだ。「サステイナビリティ」と並行して企業のあり方を判断する基準として頻用される、「エシカル」というコンセプトがある。文脈によって意味する内容が変わる言葉ではあるが、いまの商習慣における「倫理的」を考えるのに鍵となるポイントを以下にまとめてみた。

1 企業の傘下または下請けの工場や現場で働く人たちが置かれる労働環境：清潔かつ働きやすい環境が保たれているか、従業員たちの福祉は考慮されているか、労働時間は管理されているか、就業時間や残業に対して正当な賃金が支払われているか、未成年が労働に従事させられていないか

2 素材の生産過程：土壌や水、人体に有害な農薬あるいは化学染料が使われていないか。生産にどれだけ水を使用しているか。素材はバイオディグレーダブルか、つまり、埋立地の一部として存在し続けるのか、そうではなく土に還すことができるのか

3 動物の使われ方：動物を殺していないか。どのように飼育しているか

4 流通・販売などにかかる環境コスト：素材や商品をどのように輸送しているか。梱包・包装に使われる資材に無駄はないか。またはリサイクル資材が使われているか。ゴミの管理はどのようになされているか。廃材が再利用されているか

5 雇用：女性、性的マイノリティ、人種的マイノリティを雇用し、多様性のある職環境を実現しているか。また、それを改善するために何が行なわれているか。労働時間や残業時間はリーズナブルか。育児休暇、健康保険などの福利厚生が整備されているか

こうした判断基準に沿って会社やブランドを評価するシステムも増えてきた。２０１５年にオーストラリアで生まれた買い物アプリ「グッド・オン・ユー」は、地球（環境対策）、人間（労

働環境）、動物の使われ方の３項目におけるファッション企業やブランドの「エシカル度」を、たとえばユニクロは「It's a start（スタート地点）」、無印良品は「Not good enough（十分ではない）」などというように査定している。２０２０年の夏にＢＬＭが再燃してからは、これまで倫理性が高いとされてきた企業についても、多様性の欠如や給与格差などについてマイノリティの従業員から指摘されるようなこともあった。新疆ウイグル自治区の綿調達をめぐる問題は、ファッション業界の生産過程をトレース（追跡）することが想像以上に難しい実態を露わにした。こうした現状を考えると、企業の倫理性はシンプルな問題ではない。重要なのは、自分の価値観を尊重する企業を求める顧客と、自分に忠誠心を示してくれる顧客に応えようとする企業とが、互いをサポートし合いながら、持続性や倫理性を高めていく商取引のあり方なのだろう。

ブランドの価値はいま

パンデミック以降の世界における「ブランド」の価値を考えるうえで、倫理性が占めるウェイトが増大したことを実感している。

たとえば、それ以前に私が年間にいちばんお金を払ってきた企業は、デルタ航空だった。航空業界の経営不振に由来するオーバーブッキングが激しかった2000年代に、アメリカン航空やユナイテッド航空に嫌気がさしてたどり着いたときのデルタは、破産法を申請したどん底から立ち上がったところだった。根本的なブランディング改革を断行した結果、他の航空会社に比べてカスタマーサービスが格段に優れていたし、たまにトラブルがあってもその迅速な対応とサービス精神に感嘆した。

けれど特に強い愛着が芽生えたのは、第1章でも述べた銃乱射事件のあとの対応によってだ。NRA（全米ライフル協会）への優遇を取りやめて、企業として銃社会を支持しないことを明確にしたCEOのエド・バスティアンは、のちのインタビューで「あの件で、たくさんのファンを得た」と語っていた。

国全体が政治的な分断を深めていくときに、自分がお金を使う対象、そして身体を預ける企業が自分の価値観を尊重してくれるかどうかということは、身体的・精神的安全に関わる問題でもある。社会全体がコロナウイルスと共存する方法を探るなか、デルタ航空は早々に客のマスク着用義務付けに踏み切り、着用を拒否する乗客を搭乗禁止処分にすると発表した。実際に、2020年8月にトランプ派の論客で海軍の元軍人が、「俺はプッシー（勇気がないことを示唆するスラング）じゃない」とキャプションをつけたマスクなしのセルフィー写真をSNSにアップしたときには、即座に容赦なく生涯搭乗禁止処分を発表した。BLMの真っ盛りだった2020年9月に、機内で黒人女性の横に座った白人女性が「Blue Lives Matter（警官の命は大切だ）」というメッセージの書かれたマスクを着用して人種差別発言をした際には、その黒人女性のチケットをアップグレードするという措置を取り、「When we say Black lives matter, we mean it（黒人の命は大切だと言うとき、本気です）」という声明を出した。

デルタというブランドに対する私の忠誠心は、こういう一連の対応を見てますます高まった。ブランドの価値というものに、社会的・政治的なスタンスが含まれるようになったのだ。

物の価格を考える

物を買うときに、人は必ず値段を見る。けれど、その価格がどうやって決められているかについてまで考える人は少ないのではないだろうか。

正当な価格とは何だろう？　これももう長いこと、私の頭の中をぐるぐると回っている問いのひとつである。価格というものは、その商品を作るのにかかった物理的なコストに、それが消費者の手元に届くまでの過程に関わった人たちの取り分を足して算出される。デザインから生産、流通、販売・宣伝までに携わるすべての人たちが、それぞれの労働に対するフェアな対価を受け取ることが「正当な価格」の前提なのだろうと思う。

一方で世の中には、この単純な仕組みの外にある値付けもある。レコードやCDといった音源も、シンプルではない値付けがされているもののひとつかもしれない。メディアそのものの原材料自体はわずかな値段であっても、付いた値札の金額の中には、アーティストが受け取るフィー、録音コストや機材費、音楽会社で働く人たちの人件費や宣伝費、流通にかかるコストなどが入ってくる。ついでに自分にとって生々しい話をすると、書いた本の売上から著者に入る印税というものはふつう最大でも本体価格の10%である。つまり買ってくださる方が支払う金額のほとんどは、編集、デザイン、用紙・印刷・製本、営業・広告、書店や取次の利益など、本が作られて流通して読者の手元に届くまでにかかるコストを賄うために使われている。

ファッションの世界にも値付けの謎は多い。たとえば香水の原価はだいたいの場合、数百円程度だと言われる。商品開発にかかるコストも加味されるだろうが、それ以上に価格のほとんどを占めるのは「ブランドとしての価値」だ。ブランドは、原価にコストや利益をのせて卸売価格を設定し、直営店やセレクトショップは、ブランドが決めた価格で商品を店頭に出す。ブランドイメージを作り出すためのマーケティングおよび宣伝費といったコストも、価格の中に含まれてくるが、巨大なシステムを下支えするのは衣服ではなく、原価数百円の香水やライセンス事業だ。商品流通のプロセスに関わる企業や人員すべてにお金がまわる仕組みではあるけれど、価格が必ずしもその商品のクオリティを反映するとはかぎらない。

2008年に起きたリーマン・ショック以降、消費者マインドが商品の実質重視へとシフトするのとともに、前述の「アウトライヤー」や「ベスト・メイド」などがD to C（Direct to Consumer：顧客に直接届ける）モデルを採用し、原価と市場価格とのギャップを縮めた。その後、「ラディカルな透明性」を標榜した「エヴァーレーン」が登場して、商品の現材料、労働、関税、輸送費といった価格の内訳を公開し、それまで消費者には秘密の世界だった「何にお金を払っているのか」のからくりを、ざっくりとはいえ説明してみせた。

業界の価格設定の常識を覆すこうした手法は、マットレス（キャスパー）やシーツ（ブルックリネン）、下着（シンクス）やメガネ（ワービー・パーカー）など多くの業界に広がり、「ディスラプティブ（価格破壊）」とカテゴライズされるD to Cブランドが星の数ほど生まれた。

そこにコロナウイルスがやって来て、物理的な空間で商売を展開してきた小売業界が壊滅的な打撃を受け、多くのショップやデパートが破産や閉業に追い込まれたが、その一方で、実質的価値と価格の差を抑え、インスタグラムや公式サイトを通じて忠誠心の高い顧客を築いてきたD to Cのブランドは、驚くほどの底力を見せている。なかには、工場閉鎖や物流の不安定化に直面しながら生産を続けていく葛藤を率直に発信するブランドもあった。

ロックダウンから半年以上が経った今もまだ世界の大部分がフル稼働以下で動いているため、物が作られる場所は常に流動しているようだ。コロナ禍によってサプライチェーンが引き直され、消費者の要求に応じてサステイナブルかつエシカルなシステムへの転換が起きる過程で、「倫理的」に作られる物の値段はおそらく上がっていくだろう。物を買うとき、自分が払うお金のメカニズムを理解していたい。

物はどこからやって来るのか

「買い物による投票」の際にもうひとつ思いを馳せたいのは、物はどこからやって来るのか、ということだ。

工場や生産地を取材して、実際に商品を作る人たちの姿を見るうちに、ものづくりの労働環境というものにはずいぶん幅があるのだということを学んだ。また、大企業が賃金の安い途上国に作る工場の劣悪な労働環境について学ぶうちに、何かを買うときにはラベルをひっくり返して生産地や素材をチェックする癖がついた。できれば、働く人たちの福利厚生が守られている土地で、環境負荷の少ない素材を使って作られているものを、そして、自分が暮らす地域に近かったり思い入れがあったりする場所で作られているものを買うほうがいい——そう考えるようになったからだ。

「メイド・イン・チャイナ」は粗悪品である、「メイド・イン・ジャパン」は安心できる、という、かつてあった認識はもはや時代遅れになったと言っていい。日本やアメリカの工場では作れないものはいくらでもあるし、中国にも、製造現場の人道的商習慣を評価する団体「ワールドワイド・レスポンシブル・アクレディテッド・プロダクション（WRAP）」の認証を受ける工場はある。それに日本にだって、短期ビザで海外から労働者を呼び寄せ、最低賃金以下の報酬で長時間の労働を強いている工場があるということが近年になってわかってきた［★41］。

★41 出井康博『ルポ ニッポン絶望工場』講談社＋α新書、2016年おまけに「メイド・イン・〇〇」という「生産地」表記は、その商品が組み立てられたり縫製されたりする最後の工程が行なわれる場所につくものだし、実際、工業製品のようにひとつの商品の中には様々な場所で作られたパーツが含まれていることも多いのだ。

製造過程での倫理性を高める試みは各種の業界で進行しているが、衣類の世界において、ひとつ障害になるのが、物の生産過程を追跡するトレーサビリティの難しさである。特に繊維の売買においては仲介業者も多く、できた商品を起点に、紡績や縫製までのプロセスをすべて遡って把握することはほぼ不可能なのである。

こういうときに最も安心度が高いのは、素材調達、繊維開発の段階から機屋（はたや）と協業してオリジナルの生地を作る、すべての工程に責任を持つブランドから衣服を買うこと、になる。「エシカル」にコミットするブランドが増える昨今、インドの工場と協業してテキスタイルの織りから手がけるアメリカの「エイス&ジグ」や、一部の生地を国内の機屋とともに開発する日本の「マメ・クロゴウチ」など、調達する素材にも責任を持つブランドが少しずつ増えている。

素材に注目してみると

エシカルなものづくりといえば、考えなければならないのは素材のことだ。紀元前に人間が亜麻をリネンに織ることを考案して以来、何千年ものあいだ、人間が身につける生地は天然の植物や動物の毛のみで作られていた。人工の繊維、いわゆる化学繊維が世の中に流通するようになったのはごく最近の１９３０年代頃からで、デュポン社がナイロンを開発したあと、天然素材が持たない伸縮性や耐久性を実現したポリエステルや、柔らかさと耐久性を兼ね備えたアクリルといった合成繊維が登場し、あっという間に世界中に普及した。化学繊維は生産コストも低く、早く作ることが可能なうえに扱いやすく簡単に改良できたため、より安い衣料品を大量に生産することが可能になった。

化学繊維による環境へのインパクトがとりわけ注目されるようになったのは、気候変動が問題になってからである。化学繊維は生産の過程で石油を使うため有害毒素を発する、といった問題もあるが、最大の問題は土に還すことができない、つまりバイオディグレーダブルではない、ということにある。人工的な繊維は、捨てられて埋立地に行くか、運良く回収されてもリサイクル繊維に生まれ変わり続けるかしかないのだ。

ポリエステルの繊維が人体や自然に及ぼす長期的悪影響も報告されている。最近では、2018年にデルタ航空が新しいユニフォームを採用したら、湿疹、呼吸困難、脱毛などの不調を訴える従業員が出てきたという事件もあった。

化学繊維が水源に及ぼす影響を世の中に知らしめたのは、アウトドアブランドの「パタゴニア」だった。2016年に、カリフォルニア大学サンタバーバラ校の環境微生物学者、パトリシア・ホルデン博士に依頼した調査の結果を発表した[★42]。これによると、深刻なプラスチック汚染の原因は、包装材に次いで、化粧品や歯磨き粉やその他の日用品に含まれるマイクロプラスチック・ビーズという極小のプラスチック粒子で、洗面台やシャワーの排水溝から出て汚水処理工場のフィルターを通過し、海に流出して、動物や人間の体内に入り込む。

この調査では、「パタゴニア」の定番商品であるフリース素材にも含まれるナイロンやポリエステルといった化学繊維が、洗濯のたびにマイクロプラスチック・ビーズを排出することも明らかになった。その量を左右するのは、洗濯によって抜け落ちる毛の量で、たとえ同じフリースでも、抜け落ちる毛の多い低クオリティのものほど、マイクロファイバー汚染の量は大きくなる。

「マイクロプラスチック汚染には化繊の衣類のマイクロファイバー（長さ5ミリ以下）も含まれます。それはポリエステルのフリースやナイロン製ショーツ、その他広範囲に及ぶ種類の衣類を洗濯する際に抜け落ち、処理工場のろ過システムを通過してしまうものです。これら化繊のマイクロファイバーは海、海岸、川、湖などに放出されてしまうことがあり、その一部は土壌にも至ります。処理工場で廃液からうまく分離されたマイクロファイバーも、土壌肥料として使われるスラッジ〔沈殿物：筆者注〕に残っているからです。これは製造する衣類の多くが化学繊維製のものである私たちにとっては、ことに急所を突く問題です」[★43]

★42 Niko L. Hartline et al., "Microfiber Masses Recovered from Conventional Machine Washing of New or Aged Garments," Environmental Science & Technology 56(21), Sept. 2016
★43 パタゴニア公式サイト「海の極小プラスチック繊維について私たちが知っていること」2016年7月14日

マイクロファイバー汚染に対して消費者ができることも多少はある。たとえば横から開けるタイプのドラム型洗濯機は、上から開けるトップローダー型の洗濯機に比べ、排出されるマイクロファイバー量が7分の1になる。また最近では、化学繊維を洗濯する際に出るマイクロファイバーを閉じ込めるネット状のフィルターが商品化されている。そもそもフリースのジャケットをそんなに頻繁に洗う必要はないのだ、とパタゴニアは発信してもいる。

この報告書を読んだあと、私も化学繊維の衣類を買わないというチャレンジをやってみたが、これはまた下着や靴下でつまずきがちだった。おまけに、調べるうちに「天然＝サステイナブル」とはかぎらない、ということも学んだ。その一例に、コットンの原料になる綿花の栽培がある。大量の水を必要とする綿花の栽培は、環境に慎重に配慮した長期的な計画に基づいて行なわなければ土壌の劣化につながることがわかっている。

たとえばカザフスタンとウズベキスタンにまたがる塩湖・アラル海の周辺は、1940年代からソ連が国をあげて綿花を大量に栽培した地域だった。ソ連政府は、アラル海に流れ込んでいた川から灌漑（かんがい）して運河を作った。計画通りの生産量を達成したはいいけれど、灌漑のおかげで河川からアラル海に流れ込む水の量は激減し、水位が低下して徐々に湖の面積は小さくなった。周辺地域の住民が従事していた漁業は衰退し、大地が干上がったことで砂嵐が起きて、住民が呼吸器系の疾患などに苦しむようになった。かつて世界第4位の面積を誇った湖は、今は7分の1ちかくにまで縮小してしまった。

すっかり普及したオーガニック・コットンの生産が、これまた環境にやさしく、人体に害を及ぼさないかというとそうではない。綿の有機栽培には、19世紀から天然の殺虫剤として使われてきたロテノンという農薬（マメ科の植物デリスやクーベなどの根を化合）が多用されてきたが、これがパーキンソン病のリスクを高めるという実験結果もある［★44］。また、綿の有機農法は従来の綿栽培農法に比べて生産高が低いため、有機で同量の綿を作ろうとすると労働量も使用する水の量も増やす必要があり、環境への負荷は小さくはないのだ。

★44 Ranjita Betarbet et al., "Chronic systemic pesticide exposure reproduces features of Parkinson's disease," Nature Neuroscience 3(12), Dec. 2000

いま問題解決のポテンシャルを感じさせるのが、バイオマス由来繊維と言われる新素材の開発である。これまでバイオ繊維の製造には石油を使うことが多かったが、２０１０年代に登場した新世代の繊維は、石油資源の代わりに糖や乳酸を使い、植物の高機能構造タンパク質を模倣することで、少量の原材料で環境コストを抑えながら素材を作る方法として期待されている。

イタリアには、オレンジの皮から繊維を作ることに成功した「オレンジ・ファイバー」という会社があって、最近ではフェラガモがこの素材を商品に使って話題になった。フィリピンには、パイナップルの葉をもとにシルクに近い繊維を生産するアクランという地域がある。日本では東レが、サトウキビ廃糖蜜を使ったポリ乳酸繊維「エコディア」や、ナイロン系、セルロース系のバイオマス繊維のラインナップを次々と充実させている。こうした素材も「プラントベース」と呼ばれ、人工繊維のような使いやすさを実現しながら、廃棄されても土に還る。

蜘蛛（くも）の糸のメカニズムを模倣した繊維「スパイダーシルク」もホットな話題である。日本の山形県には合成クモ糸繊維「クモノス」を開発した「スパイバー」があるし、北カリフォルニアの「ボルト・スレッズ」では、カリフォルニア大学出身の生物学者３人組がスパイダーシルクを生産している。

新開発のバイオ繊維の共通項は、地球の資源を枯渇させずに作り出せるという点だ。こうした新素材は、スタートアップ企業とファッション企業とのコラボレーションなどを通じて少しずつ市場に登場しつつあり、これからシェアをどう拡大していくのか気になるところである。

もうひとつ、以前だとただ捨てられるしかなかったプラスチックや化学繊維を融解して繊維にする新たな試みもある。回収された不要衣類、ペットボトル、使い捨てのプラスチック袋などを融解した、いわゆる「リサイクル繊維」である。アクティブウェアやスポーツウェア、デニムといった衣類に高い需要があるが、これも根本的な解決策にはならない。サステイナビリティ時代においてリサイクル素材はたしかにマーケティングしやすいが、素材自体がバイオディグレーダブルではないし、プラスチックの全廃にはつながらないからだ。マーケティングの価値が先行して、リサイクル素材を作るための資材を購入する企業まで登場したから、手に負えない。

ファッションにおけるヴィーガニズム

近年、「エコファッション」というものが世の中に登場して、「ヴィーガンのライフスタイル」が活発に宣伝されるようになった。動物愛護とエコの観点から、ファッション企業に対するアンチ・ファー運動も苛烈になっていった。動物愛護団体のＰＥＴＡの働きかけによって賛同するセレブやインフルエンサーが増え、その運動はメインストリーム化した。２０１７年にはグッチに続いてマイケル・コース、ジミー・チュウが、その後もヴェルサーチなどのブランドが毛皮の使用をやめると発表し、また『インスタイル』を皮切りに、毛皮の写真を今後掲載しないと宣言するファッション・メディアが続いた。

それと同時に、フェイクファーやヴィーガンレザーに対する需要が一気に増えた。ハンガリーのブランド「ナヌシュカ」のヴィーガンレザー・コートが大ブレイクし、特にイギリスを中心に、「動物を殺さない（No Animal Killed）」を意味する「ＮＡＫ」をはじめとする、ヴィーガンレザーを使ったバッグや靴のブランドが次々と登場した。

ところがフェイクファーやヴィーガンレザーが環境に良いかというと、そう単純でもない。現在の技術ではその大半が、ポリウレタン、塩化ビニール、ポリマーなど生産に石油を使う合成樹脂だからだ。いま「ヴィーガンレザー」というキャッチーな名前のついたフェイクの革は、少し前まで「合皮」と呼ばれていたものなのだ。動物の革は最終的にはバイオディグレーダブルだが、フェイクファーやヴィーガンレザーは土には戻らない。こうした事実は、激化するサステイナビリティ・マーケティングの中では看過されがちである。

この分野においても希望の光はバイオマス素材にある。たとえばニュージャージー州の「モダン・メドウ」という企業は、バイオ技術を使って革のような触感と耐久性のある素材の開発に成功している。また先述の「ボルト・スレッズ」も、マッシュルームを使って革に似た素材を開発したスタートアップ企業を買収し、「マイロ」というブランドを立ち上げた。その他、パイナップルの葉やコルクなどを再利用した「レザー」も登場している。

回収・修復とアップサイクル

では、すでに世の中に出ている不要衣料や繊維はどうすればいいのだろうか。アパレル業界でも遅ればせながら、一度市場に出した商品を回収する努力が始まっている。パタゴニアの「WornWear」、リーバイスの「RE/DONE」というラインや、シアトルの老舗アウトドアメーカー、フィルソンの「Restoration Department（修復部門）」のように、古い衣料を引き取って再び使える状態にするプログラムも、循環型へのシフトに向けた第一歩かもしれない。今後は世に送り出した商品を回収してリサイクルすることがメーカーの責任になっていくのだろう。

ネペンテスの清水慶三さんによる「リビルド・バイ・ニードルズ」、2019年にアメリカ・ファッション協議会の新進デザイナー賞を受賞したニューヨークの「ボーディ」、ブルックリンを拠点に不用品を使ってマスクのような彫刻作品や衣料を作る「シン・ムラヤマ」、ポートランドで古布や老舗の機屋で作られた生地を使った商品を提案する「キリコ」などは、「アップサイクル」（リメイクによってもとの素材の価値以上のものに昇華させること）の可能性と多様性を広げている。ロシア出身でニューヨークを拠点に活動する注目の「ジャンコイ」のように、既存のブランドと組んでデッドストックを使うデザイナーも現れた。アップサイクルの手法を取り入れるブランドが増えれば増えるほど、消費者の選択肢も広がることになる。

こうした手法がいま必要とされるのは、世の中で不要となった衣料や繊維が空前の量になっているからだ。東京を拠点に「マザー」というブランドと「デプト」という古着屋をやっているeriが2018年に、不用衣料が集まる倉庫に連れて行ってくれた。

東京の郊外にある倉庫には、ヨーロッパを中心にアメリカや中東など世界中から大型トレーラーで古着が届く。「恐ろしいほどの物量」とは聞いていたが、ブロック状にまとめられた巨大な古着の塊が何層にもなって、てっぺんが見えない高さにそびえ立っている様子に息をのんだ。こうした倉庫に運び込まれる古着の量は、ファストファッションの登場以来、増える一方だ。

デニムのジャケットがブロックになって積み重ねられているさまにはノスタルジーをくすぐら

れるが、何度袖を通されたかもわからない、昨年流行ったデザインの衣類がよれて無残に捨て置かれている姿には、ただ悲しみしか感じない。おそらくもう誰にも着られることのないトップスがこの世に送り出されるために、どれだけわずかな賃金が支払われ、どれだけの環境コストがかかったのかと考えると、さらにやるせなくなる。

ｅｒｉは、増え続ける莫大な不要衣料の山から、商品として世の中に再提案できる量を増やす方法を模索している。洗濯し修復するのは当たり前のこと、黄ばんだり変色したりしている商品を染め直したり、ニットなどを切ったり縫ったりすることで新しい商品に生まれ変わらせるのだ。

天井すれすれまでに不要衣料が積み上げられている倉庫をeriが見せてくれた。

「たとえばカシミアのニット商品は大量に出てくるけれど、なにせ痛みやすいから傷物が多い。そのまま売ることはできなくても、その傷に別のニットから切り抜いてパッチを充てれば、パッチワークのセーターが作れることに気づいた」

誰からも求められずに放置されている衣料を救い、新しい命を吹き込んで世の中に戻すための試みだ。彼女は、以前なら店頭に並べる商品からは弾かれてしまったかもしれない傷物を「直して着てみませんか？」というメッセージとともに少し価格を下げて販売する「デプト スリフト」というラインを新たに設けて、若い顧客たちに修復の知恵を伝授している。

ひとりのステイクホルダーとして買い物をする

気がつけば、物を買う、服を着る、という行為に罪悪感がつきまとう時代に生きている。

環境破壊や労働者の搾取に加担したくはない。責任あるお金の使い方をしたい。ところが、知れば知るほど、人間たちの経済活動の罪の大きさを思い知る。

いつしか人間が生み出す物のかなり大きな割合が、土に還らずに焼却されて、または埋立地に放置されて、有害物質を放出して空気を汚染したり、粒子を排出して水路に流れ込んだりするようになっていた。人間が出すゴミは、土に還るにしても、環境を汚染するにしても、最終的には空気や食べ物を介して人間の体に入り込むことになる。

国際機関やＮＧＯ、環境運動家やミレニアル消費者たちの地道な運動のおかげで、ようやくサステイナブルの概念とその緊急性が理解されるようになってきたと思ったら、トレースできない商品に「サステイナブル」というタグがつき、「リサイクル商品」を作るために新たに化学繊維の素材が作られている、というちょっと信じられないような話も耳に入ってくるようになった。

こんな時代に、自分は何を買い、何を着ればいいのか。日々こういう情報と向き合っていると、「もう何も買えない」という気持ちになることもある。それでも、裸で外を歩くことはできないし、服を作ったり着たりする行為は自己表現でもある。なにより私は、物が作られる工程を知ることも、手に入れた物と生活をともにすることも、大好きなのだ。

こうしたジレンマに対する自分なりの回答は、循環型の事業を実践したり、すべての工程を把握しながらものづくりをしている作り手や小規模ブランドから物を買うこと、信頼できる店や会社から、ずっと使い続けられる物、またはセカンドライフが想像できる物を選ぶこと、要は、一つひとつの商取引を、考えながら行なう、ということだった。

パンデミックがやって来る前は、地元のグリーンポイントや、旅で訪れる先々のインディペンデントな小さな商店で物を買えばいいのだと思っていた。経済が一時休止してロックダウン生活が始まると、物を買うという行為は、商店やブランドの生き残りを支援するという意味合いを持つようになった。何かを買うときには、メーカーや売り手が、自分がお金を使ってもいい対象なのかどうかを確認するようになった。経営者がトランプ政権や共和党に献金しているような企業は避け、従業員を大切にする企業を探すようになった。いつも理想的な企業が見つかるわけではないが、環境対策やコーズ（大義）、従業員のウェルビーイングに関与する企業であればあるほど、商品の素材や生産地、製造方法についての情報を積極的に開示する傾向が強い。

めまぐるしく変わる現実に対応しながら、自分のお金の使い方を精査することは、健康状態が悪化してしまった地球に暮らすひとりの人間としての責任なのだろう。経済的・環境的・社会的持続性を高める見地から、ポスト資本主義的時代の考え方として提唱される「ステイクホルダー・キャピタリズム」において、顧客は重要視されるステイクホルダーの柱のひとつである。顧客と企業の関係は、一方的に金銭を支払い、一方的に物やサービスを供給するだけのものではない。企業が顧客の価値観を尊重し、顧客は企業にフィードバックを返したり、忠誠心を示したりする。消費者のほうにも、その企業のステイクホルダーとしての、また、企業を包み込むより広い社会のステイクホルダーとしての責任がある、ということだ。

気候危機がヤバいという認識が広がり、様々な見地から環境問題に取り組む多様なムーブメントが大きなうねりを形成していた2019年、前述のセリーヌと、昨今のヴィーガニズムの大流行について話をしていたときに、彼女がこう言った。

「危機感を持ってヴィーガンになる人が増えていることは、素晴らしいことではあるけれど、今すぐこの世界に暮らす人間全員がヴィーガンになったところで、進んでしまった環境破壊を止めることはできない。沈んでいく最中のタイタニック号から、食器をひとつずつ海に投げ落とすことで沈没を止めようとするようなものだから」

だからこそ、私たち消費者は、政府や企業に対して、環境運動に参加し、対策を取るように求めなければならない。ひとりの小さなアクションであっても、束ねれば大きな力になる。消費者には、企業や政治の方針を変えさせるパワーがあるのだ。

おわりに

2018年、縁があってアリゾナのホピ族の居留区を再訪する機会を得た。収穫を祈るための儀式「ビーン・ダンス」のさなかに私たちを歓待してくれた長老は、石炭企業によるネイティブ・アメリカン居留区域の水源窃取を告発したこともある環境アクティビストでもあった。近年、干ばつが深刻になり、部族の聖なる穀物であり主食でもあるとうもろこしが育たなくなったという。

「水が永遠に存在するものだと思わないでください。自分のコミュニティに戻って、今日の話を共有してください」

再び大切なメッセージを託されたような気持ちになりながら、都会の生活に戻れば無力感しかなかった。科学者たちが警告する未来図と、目の前に広がる光景とのギャップは果てしなく大きかった。その2年後、これまで人類が体験したことのないウイルスが生まれ、いとも簡単に世界中を旅して、およそ100年ぶりとなるパンデミックに成長した。人類はいまだにその抑え込みに奮闘しているが、私たちは未曾有の危機から、何を学んでいるのだろうか？

自分にとっての教訓は、当たり前だと思っていた生活や日常が、緻密だけれど意外に脆い商業と流通のインフラの上に立っていた、ということだ。私たち一人ひとりの生活や経済活動は、大きな世界とつながっている。自分たちの買い物や消費行動が、環境汚染や人権蹂躙に加担してしまうことがある。環境的な持続性を、社会的・経済的持続性から切り離すことはできない。良くも悪くもひとりの力は小さいと思いがちだけれど、地球に及ぼしてしまうダメージも、集合体として起こせるインパクトも、決して小さくはない。

パンデミックは、専門家やアクティビストたちが指摘してきた問題を可視化し、実証した。環境危機がいよいよ切迫していること、右肩上がりの利益追求型経済や消費文化が限界に達しつつあること、不平等や格差が社会全体の不安定要素になっていること——疫病がもたらした危機的状況は、山積する問題を是正する、もしかしたら最大にして、最後のチャンスかもしれない。

だからこそいま、パンデミックが生み出した新たな現実が、それまで必要だと言われながら実現しなかった、社会の変革を生み出している。これは一夜のあいだに起きたことではない。社会の構成員一人ひとりが同じ権利を与えられ、教育や医療に平等にアクセスでき、安全に暮らせる住居を確保できる――パンデミック以前からそんな未来を求めてきた、根強いプログレッシブ運動の結果である。彼らが思い描く未来は、市場優先の資本主義や個人の選択の自由を重んじる旧世代からは「社会主義」とのレッテルを貼られることもあるが、新時代の「We」は社会全体の集合的な利益だけを追求するものではない。一人ひとりが差別や抑圧を受けずに生きられる世の中を目指し、自分以外の誰かのために、声を上げたり、行動を起こすから、「We」なのだ。

人種平等を求める「ブラック・ライブズ・マター」は２０２０年、アメリカの社会運動史における参加人数の最多記録を塗り替えた。それまで首位を占めていたのは、トランプ大統領の就任とともに２０１７年に生まれた「ウィメンズ・マーチ」だった。この他、気候危機アクション、非人道的な移民取り締まりへの反対、ＬＧＢＴＱ＋の権利擁護運動、銃規制運動など、この数年間に活発化した市民活動を挙げ始めたらきりがない。トランプ大統領は多くの市民をアクティビストに変えたのだ。アメリカは最近、ジョン・ルイスとルース・ベイダー・ギンズバーグという、公民権運動とジェンダー平等運動を引っ張った大切なリーダーふたりを立て続けに失くしたが、彼らの意志を、世代や人種、性別、文化の違いを超える「We」の連合が引き継いだのだろう。

史上最多の得票数を記録した2020年の大統領選挙は、この本の入稿・校了作業のさなかに行なわれた。このあとがきを書いているいまも、トランプ大統領は敗北を受け入れていない。トランプ政権への信任の是非を問うた今回の選挙でジョー・バイデンをゴールに運んだのは、黒人、アジア人、ネイティブ・アメリカン、女性、LGBTQ+の世代を超えた連合だった。投票年齢に達しないZ世代は、デジタルでのキャンペーンや、バイデン陣営や投票所でのボランティア活動を通じて参戦した。黒人とアジア人の血を引く移民の娘カマラ・ハリスが女性として初めて副大統領に選出されたことは、前進の象徴として歴史に残っていくだろう。

今回の選挙は、ますます深くなっていた保守とリベラルのあいだの亀裂と分断をより一層露わにもした。この分断は、トランプとともに突然出現したものではない。ひとつ確実に言えるのは、「分断」を作ったのはトランプ登場以前から紡がれてきたレトリックだということだ。移民がアメリカ人の仕事を奪っている、怠け者のマイノリティが福祉を食い物にしている、国民皆保険は選択の自由の喪失である——共和党が中部や南部の労働者層を相手に繰り返してきた虚構が、さらなる虚報（ディスインフォーメーション）や陰謀論の台頭を許したのである。

究極的には、アメリカが完全に「青」に染まるのは時間の問題だと言われる。肌の色のグラデーションも、ジェンダーやセクシュアリティについてより流動的な考え方を持つ若者人口も、増加の一途をたどっているからだ。「赤」と「青」の分断は、ニュースで語られるほど明確ではない。大統領選挙と同時に行なわれた州レベルの住民投票では、トランプを選出したフロリダで最低賃金の引き上げが可決されたり、逆にリベラルなカリフォルニアで、ギグワーカーを社員扱いする条項が否定されるなど、赤い価値観と青い価値観が想像以上に拮抗し、入り混じっていることも示した。たしかに分断は根深く存在する。「社会主義」という言葉へのアレルギーも根強い。けれど、気候変動やパンデミックがもたらす新たな時代の社会課題を、現状の資本主義のシステムが解決してくれるだろうか。政治的な分断はさておき、現実的な問題が社会の進歩を後押しするのだと信じてやまない。

こうしているあいだにも、世界のあちこちで、自治体レベルから国家レベルまで、たくさんの革命が同時進行している。ベラルーシで、タイで、香港で、チリで、レバノンで、市民たちが既存の権力に対してねばり強い運動を繰り広げている。文化的背景や価値観の違いはありながらも共通するのは、支配層が圧倒的な力を持つトップダウンの仕組みに声を上げ、未来を自分たちの手に取り戻そうというドライブである。運動の震源地では必ず、変革の力と、それを妨げようとする力とが激しく衝突している。それでも悲観はしていない。歴史のいたずら、はたまた必然によって生まれたトランプ大統領が、市民運動を加速的に成長させたのだ。その過程を見てきたから、社会はときに後退したり挫折したりしながらも、必ず前に進んでいるのだと確信している。

アメリカの革命はまだ始まったばかりだ。全米50州の集計過程をもとにメディア各社がバイデンに「当確」を出すのとほぼ同時に、国民皆保険や若者の学生ローンの帳消し、エネルギー業界に対する環境規制などをめぐる本格的な議論が始まった。本当の闘いはこれからなのかもしれない。

この本の冒頭に、革命は「起きる」と書いた。自分の眼前で革命が繰り広げられているのを目撃しているような気分だったからだ。けれど、『ヒップな生活革命』からの6年間を振り返りながらこの本をここまで書いてきて、いま思う。

革命は起きるのではない。私たちが起こすものなのだ。

本書はオンラインメディア「NewSphere」での著者の連載「Wear Your Values―ヒップな生活革命、その先」（2019年1月11日～9月27日。全34回）をもとに、大幅な加筆・修正を施して書籍化したものです。

著者

佐久間裕美子 Yumiko Sakuma

文筆家。1973年生まれ。慶應義塾大学卒業、イェール大学大学院修士課程修了。1996年に渡米し、1998年よりニューヨーク在住。出版社、通信社などでの勤務を経て2003年に独立。カルチャー、ファッションから政治、社会問題まで幅広いジャンルで、インタビュー記事、ルポ、紀行文などを執筆する。著書に『真面目にマリファナの話をしよう』（文藝春秋）、『My Little New York Times』（NUMABOOKS）、『ピンヒールははかない』（幻冬舎）、『ヒップな生活革命』（朝日出版社）、翻訳書に『テロリストの息子』（朝日出版社）。ポッドキャスト「こんにちは未来」（若林恵と。黒鳥社より3冊書籍化）、「もしもし世界」（ｅｒｉと）の配信や『Sakumag Zine』（これまでに3冊）の発行、ニュースレター「Sakumag」の発信といった活動も続けている。

Weの市民革命

2020年12月10日　初版第1刷発行
2021年12月20日　初版第3刷発行

著者　佐久間裕美子
ブックデザイン　加藤賢策+守谷めぐみ（LABORATORIES）
DTP　濱井信作（compose）
編集　綾女欣伸（朝日出版社）
編集協力　仁科えい（朝日出版社）

発行者　原 雅久
発行所　株式会社 朝日出版社
〒101-0065 東京都千代田区西神田3-3-5
TEL | 03-3263-3321　FAX | 03-5226-9599
http://www.asahipress.com/

印刷・製本　図書印刷株式会社

ISBN978-4-255-01203-2 C0036